動画 × 会話 で

ゼロからはじめる

Python
入門

著 赤司 達彦

JN112055

本書に関するお問い合わせ

この度は小社書籍をご購入いただき誠にありがとうございます。小社では本書の内容に関するご質問を受け付けております。本書を読み進めていただきます中でご不明な箇所がございましたらお問い合わせください。なお、お問い合わせに関しましては下記のガイドラインを設けております。恐れ入りますが、ご質問の際は最初に下記ガイドラインをご確認ください。

■ご質問の前に

小社Webサイトで「正誤表」をご確認ください。最新の正誤情報をサポートページに掲載しております。

本書サポートページ https://isbn2.sbcr.jp/07951/

上記ページの「正誤情報」のリンクをクリックしてください。なお、正誤情報がない場合、リンクをクリックすることはできません。

■ご質問の際の注意点

- ご質問はメール、または郵便など、必ず文書にてお願いいたします。お電話では承っておりません。
- ご質問は本書の記述に関することのみとさせていただいております。従いまして、○○ページの○○行目というように記述箇所をはっきりお書き添えください。記述箇所が明記されていない場合、ご質問を承れないことがございます。
- 小社出版物の著作権は著者に帰属いたします。従いまして、ご質問に関する回答も基本的に著者に確認の上回答いたしております。これに伴い返信は数日ないしそれ以上かかる場合がございます。あらかじめご了承ください。

ご質問送付先

ご質問については下記のいずれかの方法をご利用ください。

▶Webページより

上記のサポートページ内にある「お問い合わせ」をクリックすると、メールフォームが開きます。要綱に従って質問内容を記入の上、送信ボタンを押してください。

▶郵送

郵送の場合は下記までお願いいたします。

〒106-0032　東京都港区六本木2-4-5　SBクリエイティブ　読者サポート係

はじめに

　本書「Pythonをはじめよう」をお手に取っていただき、ありがとうございます。本書はプログラミング初心者の方を対象として、プログラミングに触れるのが初めての方でも理解していただきやすいように、できる限り簡単な言葉や言い回しを用いて解説したものです。

　筆者は過去にWEBやプログラミングに関する知識をお伝えしていたことがありますが、その中でも「経験者が直感的に理解できることを、初心者の方にもなるべく同じように理解してもらうためには、どう説明すれば良いだろうか」という点については腐心しました。本書ではその経験も踏まえて、プログラミングの知識を、初心者の方でも理解していただきやすいように、できる限り一般的な例に置き換えて解説しています。

　本書はプログラミング言語の中でも、「Python」という人工知能の開発やデータ分析などに多く使用されている言語を取り扱うことから、「入門書を読んだところで初心者にできることは限られているんじゃないの？」と思われる方もいらっしゃるかもしれません。しかしPythonには「ライブラリ」という仕組みが用意されています。詳しくは本文で解説しますが、ライブラリを家電でたとえると、「洗濯機」や「炊飯器」のように難しいことや手間がかかることを代わりにやってくれる仕組みです。ライブラリを使えば、難しいプログラムが書けない初心者の方でも、人工知能を使ったり、データを分析したりといったことができるんですね。

　今回は入門書ということもあり、プログラミングの基礎を解説した後は、ライブラリを使って、「なるほど、こんなことができるんだ！プログラミングも、Pythonも意外に楽しいじゃん！」と思っていただけるようなアプリの作り方を解説したつもりです。

　本書を通してプログラミングやPythonを極めてみたいと感じていただければ、著者としてこれ以上の喜びはありません。

令和3年吉日
赤司達彦

プログラミングとは？

プログラミングってなんでしょうか？

お金を稼ぐためのもの。楽をするためのもの。

人によって考え方は違うかもしれませんね。

プログラミングって最終的には、あなたや周囲の人の課題や問題を解決できるものです。

プログラミングを始める時には、作りたいものを決めましょう。

どんな小さなものでもかまいません。

なんとなくプログラミングを始めても、間違いなく続けられません。

作りたいものが決まっていれば、どんな機能が必要なのかがわかります。

必要な機能がわかれば、それを組み合わせてプログラミングをすれば良いだけです。

難しく考える必要はありません。

自分が困っていること、家族が困っていること。

それをプログラミングの力で解決できないかを考えてみましょう。

たとえば自分や家族が、毎日の夕食の献立を考えなくて良いように、冷蔵庫の食材から自動で献立を提案してくれるアプリはどうでしょうか？

はじめは全く役に立たなくても、改善を重ねることで、望んでいた機能が追加できて喜んでもらえる日が来るかもしれません。

自分が喜べたり、家族を喜ばせることができたら、それは世界中の献立に悩む人を救うアプリになるかもしれません。

プログラミングを通して、あなたが実現したい未来を想像してみましょう。

目次

はじめに ………………………………………………………………………… 3

本書の読み方・特典について ………………………………………………… 12

第1章　Pythonを使う準備をする　　14

1-01　Python ってなに？ ……………………………………… 16

🐾 Python ってなに？　どんなもの？ ……………………………… 17

🐾 Pythonでなにができるの？ ……………………………………… 17

1-02　Pythonをインストールする ………………………… 18

🐾 Pythonのインストール ……………………………………………… 18

コラム インストールってなに？ ……………………………………… 20

1-03　1行だけコードを書く …………………………………… 26

🐾 IDLEを起動する ……………………………………………………… 26

🐾 簡単なプログラムを書く ……………………………………………… 27

1-04　コードをファイルに書く ……………………………… 30

🐾 ファイルにプログラムを書く ……………………………………… 31

🐾 保存したファイルをIDLEで開く …………………………………… 34

コラム 拡張子ってなに？ ……………………………………………… 35

第2章 文字や数字の使い方を知る

第2章 　文字や数字の使い方を知る　36

2-01 　文字を表示する ································· 38
　文字列を表示する ································· 38

2-02 　「データ」を「変数」に入れて使いやすくする ······ 40
　データを変数に入れる ································· 41
　データ型に分けて表示する ························· 43

2-03 　文字列を加工する ································· 45
　文字列を連結する ································· 46
　文字列の一部を取り出す ························· 47

2-04 　データの「型」を変換する ································· 52
　int型をstr型に変換する ························· 53
　str型をint型に変換する ························· 54
　コラム 他の言語だとデータ型をはじめに指定する必要があることも ··· 55

2-05 　たくさんのデータは「リスト」に入れて使う ········ 56
　リストの作り方 ································· 57
　リストの使い方 ································· 57
　リストの合計を簡単に計算する ················· 58
　リストを操作する ································· 59

第3章　プログラムの基本の動きを扱う　64

3-01 「もしも」「くり返し」の2つの流れを理解する …… 66
　👣 「もしも」「くり返し」処理の基本 …………………………………… 67

3-02 「もしも〜なら」で処理を変える ……………………………… 68
　👣 if文の書き方 ……………………………………………………… 69
　👣 条件式の作り方 …………………………………………………… 71
　👣 if文を書く ……………………………………………………… 72
　👣 2つの条件で処理を変える ……………………………………… 74
　👣 3つ以上の条件で処理を変える ………………………………… 76
　コラム 条件式は変数も使える ………………………………………… 77

3-03 同じ処理をくり返す ………………………………………… 78
　👣 for文の基本的な書き方 ………………………………………… 79
　👣 リストを使ってくり返すfor文の書き方 ……………………… 83
　👣 for文とif文を組み合わせる …………………………………… 84

3-04 何度も使う「動き」をまとめる ………………………………… 86
　👣 関数の基礎的な書き方 …………………………………………… 87
　👣 引数を使って関数にデータを渡す ……………………………… 89

3-05 他の人が作ったプログラムを使う 93

🐾 ライブラリの基本的な使い方 94

🐾 datetimeライブラリを使う 96

第4章 音声テキスト化アプリを作る 98

4-01 動画から音声を抜き出す 100

🐾 ライブラリ「MoviePy」のインストール 101

🐾 動画ファイルを用意する 105

🐾 MoviePyで動画から音声を抜き出す 105

🐾 プログラムの中身を理解する 108

コラム インスタンスとクラスについて 110

4-02 音声をテキストに書き出す 111

🐾 ライブラリ「SpeechRecognition」のインストール 112

🐾 音声をテキストに書き出す 113

コラム 「try except文」はエラーを処理するしくみ 118

🐾 プログラムの中身を理解する 119

コラム APIってなに？ 121

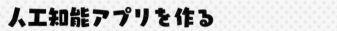

第5章　人工知能アプリを作る　122

5-01　人工知能ってなに？ ……………………………………124

  🐾 人工知能ってなに？ ……………………………………125

  🐾 人工知能ができること、できないこと ……………………125

5-02　機械学習ってなに？ ……………………………………126

  🐾 機械学習ってなに？ ……………………………………127

  🐾 機械学習の3つの種類 …………………………………127

5-03　猫の顔を見つけるアプリを作る ………………………129

  🐾 ライブラリ「Open CV」のインストール ………………130

  🐾 カスケード分類器を用意する ………………………………131

  🐾 テスト画像を用意する …………………………………135

  🐾 プログラムを書く ………………………………………136

  🐾 プログラムを実行する …………………………………139

  🐾 プログラムの中身を理解する ………………………………141

 **チャットボットを作る** 146

6-01 チャットボットを作る ……………………………………… 148

　「Slack」のアカウントを作る……………………………… 149

　ボットをチャンネルに追加する ………………………… 153

　「slackbot」ライブラリのインストール ………………… 159

　プログラムを書く ………………………………………… 161

　プログラムを実行する …………………………………… 163

　定型コメントに返信するボットを作る ………………… 165

　現在時刻を知らせてくれるボットを作る ……………… 169

　おわりに …………………………………………………… 173

　索 引 ……………………………………………………… 174

本書の読み方

QRコードで動画一覧ページへ
ページ上の黄緑色の見出しにあるQRコードを読み取ると、該当する内容の動画一覧ページに移動できます。

会話形式の解説
本書では、Pythonについて教えてくれる先生と、その弟子の会話でPythonの解説が進みます。

QRコードで直接動画ページへ
濃い緑色の見出しにあるQRコードを読み取ると、見出しの内容の動画ページへ直接移動できます。Windowsとmac os両対応です。

手順通りでOK！操作解説
細かな操作が必要な作業は番号を振って順番に操作手順を説明しています。そのため手順通りに操作し、学べます。

PC画面の画像でも確認
コードを入力した画面や実行結果が表示
されている画面を画像で確認できます。

ポイントはイラストで解説
戸惑いやすい箇所はイラストや、メモ、
コラムなどで解説を添えています。

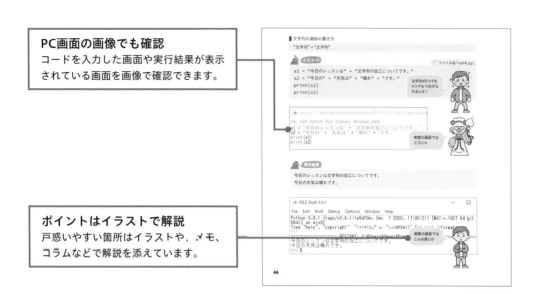

特典について

本書では以下2つの特典を用意しています。

・サンプルファイルのダウンロード
・インストールの手順やコード入力などの動画

特典は、ブラウザで以下URLにアクセスすると、ダウンロード・表示できます。

URL https://www.sbcr.jp/support/4815607402/

2021.05.21

「動画×会話でゼロからはじめるPython入門 」特典ページ

動画×会話でゼロからはじめるPython入門

_____

特典のサンプルファイル・動画ページは、下記リンクからそれぞれダウンロード・視聴できます。

サンプルファイル.zip

動画ページ

Pythonを使う準備をする

この章で学べること

まずはPythonをはじめる
準備じゃ

複雑な操作はないから説明
通りに操作すればよいぞ

よーし
がんばるぞ!

- Pythonってなに?
- Pythonをインストールする
- 1行だけコードを書く
- コードをファイルに書く

Python ってなに？

プログラミングははじめてなんですけど、最近よく聞く『Python』っていいんですかね？　プログラミングって聞くだけで大変そうなんですけど本当に楽にやれますか？

『Python』は読みやすく書きやすいから基本的なパソコン操作ができておれば大丈夫じゃ！
それとPythonはAI作りやデータ分析にも使われているんじゃよ

AIやデータ分析にも！？　将来性もあって読みやすく書きやすいんて、選んで正解じゃあないですか！
でもAIとかデータ分析とか難しそうだなあ…

今回の稽古では「Pythonを体験する」のが目的じゃ
そんなに難しいことはせんよ

体験だけだとやってもあんまり身につかないんじゃ…？

体験だけでも基本的なPythonの使い方や言語共通のプログラミング的思考は身につくぞ！　簡単なAIも作るしの　見てるだけじゃなくて実際に体験するのが大事なんじゃ！

Python ってなに？　どんなもの？

 Pythonのきほん

　Pythonは今から30年近く前に登場した、無料で利用できるプログラミング言語です。読みやすくわかりやすい言語として、**現在は人工知能の研究からビッグデータの解析などのビジネスまで幅広い分野で利用されています。**

　YouTubeやInstagramもPythonで開発されています。便利に使えるサービスを開発することも夢ではありません。

> いいことづくめだ！

読みやすく、書きやすい

　Pythonは読みやすく手軽に書けること、日常の業務を自動化することを方針として開発されています。 そのため他の言語のように人によって書き方が変わることが少なく、誰が書いても同じコードになりやすいため、作成者以外の人でも動作を把握しやすいです。

ライブラリが豊富

　ライブラリとは、プログラミングでよく使う機能だけをまとめてパッケージにしたものです。**ライブラリを使うことで、人工知能のような高度なプログラムでも数行の簡単なコードで動かせます。** Webアプリケーションや人工知能開発などさまざまな場面で利用されています。

Pythonでなにができるの？

Webアプリケーションの開発

　たとえばYouTubeのような、**Webで利用するアプリケーションを開発できます。** PythonにはWebアプリケーションを作成するためのライブラリが用意されているので、Webページ（外側のデザイン）とプログラミング（内部の動き）の開発を並行しておこなえます。

データ分析

　科学計算や数値解析のライブラリも豊富に用意されているため、**データ分析や人工知能の開発を手軽におこなえます。**

> わからないところは一旦無視して読み進めるんじゃ

1-02

Pythonをインストールする

▶ 動画一覧ページ
迷ったら動画で確認！
https://movie.sbcr.jp/dkzp/
c01/s01/

まずはPythonをインストールするんじゃ

説明の通りに操作するだけでOKじゃ
画面に色んな言葉が出てきて複雑に見えるかもしれんが
クリックと文字を少し入力するだけじゃぞ

それなら僕にもできます！

Pythonのインストール

🌸 パソコンがWindowsの場合 ⊞

1 Microsoft Edge や Google Chrome な ど の ブ ラ ウ ザ で Pythonのインストールページを表示する
URL https://www.python.org/downloads/

2 「Download Python 3.9. x」ボタンをクリック

⚠ Pythonのバージョンは随時更新されています。上記の「Python3.9.〜」のバージョン以降であっても問題はないので、気にせず操作を続けてください。

3 ブラウザ画面下に表示される「Download Python 3.9. x .exe」をクリック

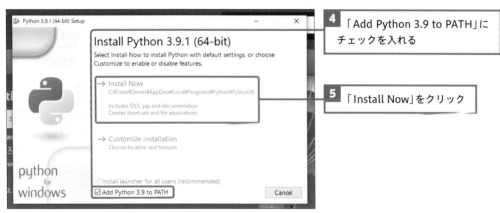

4 「Add Python 3.9 to PATH」にチェックを入れる

5 「Install Now」をクリック

⚠ 「Add Python 3.9 to PATH」にチェックをしないとPython が正しく動作しないことがあります。必ずチェックしましょう。

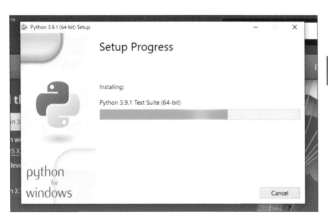

6 インストールがはじまります

インストールが終わるまで待つのじゃ

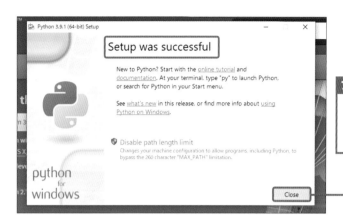

7 「Setup was successful」といいう画面が表示されたらインストールは完了したので「Close」ボタンをクリック

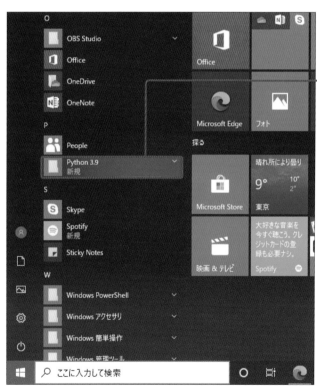

8 スタートメニューの中に「Python3.9」のメニューが追加されていることを確認

コラム インストールってなに？

インストールを簡単に説明すると「コンピューターにソフトウェアを入れて使えるようにすること」です。Pythonもソフトウェアなので、パソコンやスマートフォンなどのコンピューター機器がなければ使うことができません。使いたいアプリがあったらスマートフォンに入れてアプリを立ち上げる、という操作の一部にもソフトウェアのインストールがおこなわれています。

パソコンがMac OSの場合

1 SafariやGoogle Chromeなどの
ブラウザでPythonのインストール
ページを表示する

URL https://www.python.org/
downloads/

2 「Download Python 3.9. x」ボ
タンをクリック

3 ブラウザ画面下に表示される
「Download Python 3.9. x .exe」
をクリック

4 Safariの場合画面右上にある🔽
をクリック

5 「python-3.9.x-macosx10.x.
pkg」をダブルクリック

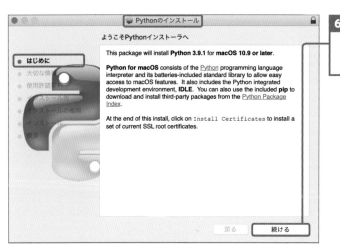

6 「Pythonのインストール」の「はじめに」画面が表示されるので「続ける」ボタンをクリック

7 「大切な情報」画面で「続ける」ボタンをクリック

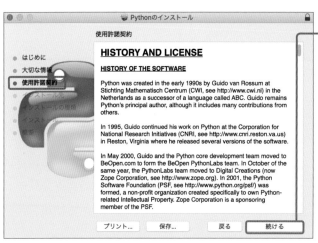

8 「使用許諾契約」画面で「続ける」ボタンをクリック

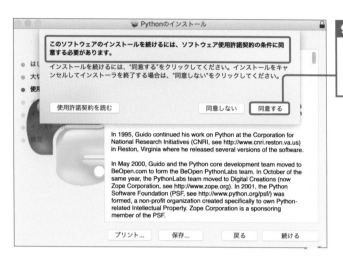

9 「このソフトウェアのインストールを続けるには…」と書かれている小さな画面が表示されるので「同意する」ボタンをクリック

お疲れ様
もう一息じゃ

10 「インストールの種類」画面で「インストール」ボタンをクリック

11 インストールの許可を求めるダイアログが表示されるのでmacOSのユーザ名とパスワードを入力

12 「ソフトウェアをインストール」ボタンをクリック

13 インストールがはじまります

14 「概要」画面が表示されたらインストールは完了したので「閉じる」ボタンをクリック

15 インストーラをゴミ箱に入れるか尋ねるダイアログが表示されるので「ゴミ箱に入れる」ボタンをクリック

16 フォルダ「アプリケーション」の中にフォルダ「Python3.9」が作成されていることを確認

Pythonを使う準備をする

1行だけコードを書く

▶ 動画一覧ページ
迷ったら動画で確認！
https://movie.sbcr.jp/dkzp/c01/s02/

 Pythonを動かす時は「IDLE（アイドル）」を使うんじゃ

 アイドル…？　あの歌って踊れる？

 ちがうぞ。こっちの「IDLE」はコンソールというものじゃ
「プログラミングを実行させるための入力装置」みたいなもんじゃ

 windows　mac
解説動画

IDLEを起動する

⚙ パソコンがWindowsの場合 ⊞

1 スタートメニューからフォルダ「Python 3.9」の中の「IDLE（Python 3.9 64-bit）」をクリック

⚠ IDLEもPythonのバージョン更新とともにバージョンが上がります。上記の「Python3.9.〜」「IDLE Python3.9〜」のバージョン以降であっても問題ないので、気にせず操作を続けてください。

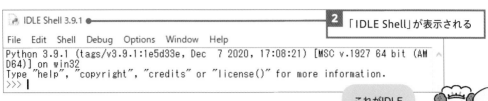

2 「IDLE Shell」が表示される

これがIDLEじゃよ

❋ パソコンがMac OSの場合 🙂

1 アプリケーションからフォルダ「Python 3.9」の中の「IDLE」をクリック

2 「IDLE Shell」が表示される

簡単なプログラムを書く

はじめは簡単な数字を表示させてみようかの

うまくやれるかな…ドキドキ

下の入力コードに書いてある命令文を「プロンプト」と呼ばれる「>>>」の後に入力して、Enter キーを押すんじゃ
プロンプトは「この後に入力してね」という記号じゃ

 入力コード

```
print(1)
```

```
IDLE Shell 3.9.1                                          —    □

File  Edit  Shell  Debug  Options  Window  Help
Python 3.9.1 (tags/v3.9.1:1e5d33e, Dec  7 2020, 17:08:21) [MSC v.1927 64 bit (
D64)] on win32
Type "help", "copyright", "credits" or "license()" for more information.
>>> print(1)
```

コードを書いた実際の
画面はこんな感じじゃ

 メモ

プログラミングでは基本的に半角の英数字を使います。 日本語の入力に限っては全角文字を使いますが、それ以外の場合に不要な全角文字や全角スペースが入っているとエラーになってしまうので注意しましょう。

 実行結果

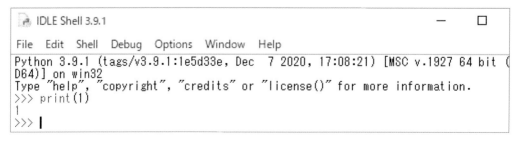

```
IDLE Shell 3.9.1                                          —    □

File  Edit  Shell  Debug  Options  Window  Help
Python 3.9.1 (tags/v3.9.1:1e5d33e, Dec  7 2020, 17:08:21) [MSC v.1927 64 bit (
D64)] on win32
Type "help", "copyright", "credits" or "license()" for more information.
>>> print(1)
1
>>> |
```

どうじゃ？　上の画面のようにprint(1)という命令文の下に
1と表示されたかの？

表示されました！　へ〜こんな感じなんですね

 「print()」は、文字や数字を画面に表示（出力）するために使う命令文じゃ

 print(1)は、「画面に1を表示しなさい」という命令を
Python に伝えているというわけじゃな

 なるほど！プロンプトの後に実行してほしい命令を書けば、
Pythonが実行してくれるんですね！

 でも、これで終わりなんですか？　なんだか物足りないです

 まあ、そう焦るでない。プログラミングの言語も「言葉」と同じじゃ。
幼児のようにパパやママという簡単な言葉を理解して、
少しずつ難しい言葉の意味を理解していくのじゃ

 そっか　そうですよね！　なんでも基本が大事っていいますよね
一歩一歩理解していきます！

▶print文の書き方

```
print(値)
```

1-04

コードをファイルに書く

▶ 動画一覧ページ
迷ったら動画で確認！

https://movie.sbcr.jp/dkzp/
c01/s03/

今度はファイルにプログラムを書いていこうかの

ファイルに…？　どうやって使うんですか？

さっき使ったIDLEを使うんじゃ。IDLEはファイルに保存したプログラム
も実行できるんじゃぞ

IDLEに直接プログラムを書くのと、ファイルにプログラムを書くのとっ
てどう違うんですか？

IDLEは1行入力するごとに実行するから結果をすぐに見られて便利じゃ。
しかし長いプログラムを1行ずつ入力するのは面倒じゃろ？

そんな時はあらかじめファイルにプログラムを書いておいて
まとめて実行するんじゃ！

なるほど！長いプログラムを書く時はファイルで書いたほうが
便利なんですね！

ファイルにプログラムを書く

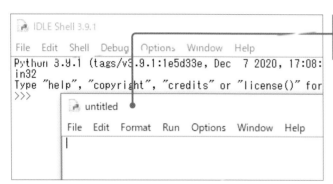

1 IDLEのメニュー「File」をクリック

2 開いたメニューから「New File」をクリック

3 「untitled」という名前が空白のファイルが表示される

Windowsの画面で説明しているがMac OSでも操作は基本的に同じじゃ

この空白のファイルに、下に書いてあるコードを書いてみるんじゃ

 入力コード

```
print(123456789)
```

4 コードを書く

実際の画面ではこんな感じになるな

コードが書けたらファイルを保存するんじゃ

5 IDLEのメニュー「File」をクリック

6 開いたメニューから「Save」をクリック

7 「名前を付けて保存」画面が表示される

8 保存場所は忘れにくい場所にしたいのでここでは「デスクトップ」をクリック

9 入力欄「ファイル名」に付けたい名前を入力してEnterキー（または「保存」ボタン）をクリック

⚠ 末尾は「.py」で終わるように入力する

ファイル名の末尾を「.py」で終わらせなければならない理由は、Pythonの拡張子（P.35）が「.py」だからです。忘れず入力しましょう。

10 ファイルのタイトルが「*untitled*」から**9**で変更した名前に変わる（ここでは「number.py」）

名前の後ろにある「C:/Users/…」はファイルが保存された場所じゃよ

いよいよ　保存したファイルを使ってプログラムを実行じゃ！

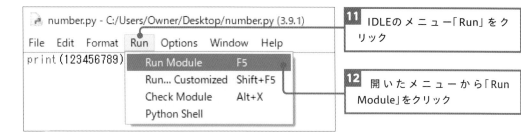

11 IDLEのメニュー「Run」をクリック

12 開いたメニューから「Run Module」をクリック

13 IDLEに実行結果（ここでは「123456789」）が表示される

12まで使ってたファイルじゃなくて「IDLE」に表示されるんだ

保存したファイルをIDLEで開く

windows　mac
解説動画

書きかけのファイルを間違って閉じてしまった時や
もう一回プログラムを実行したい時に必要じゃな

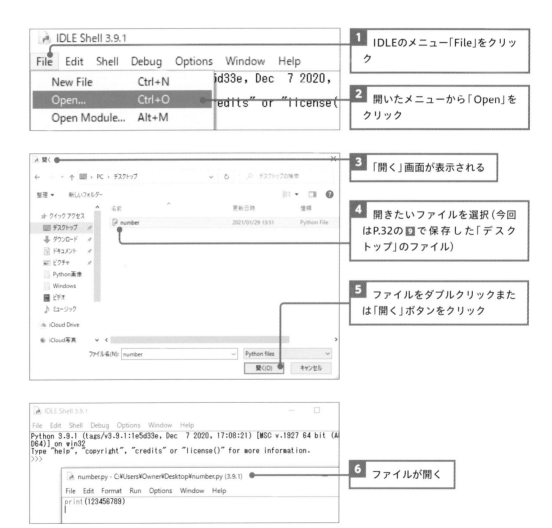

1 IDLEのメニュー「File」をクリック

2 開いたメニューから「Open」をクリック

3 「開く」画面が表示される

4 開きたいファイルを選択（今回はP.32の **9** で保存した「デスクトップ」のファイル）

5 ファイルをダブルクリックまたは「開く」ボタンをクリック

6 ファイルが開く

コラム　拡張子ってなに？

　拡張子はコンピューターの中で使用するファイルを識別するための記号のようなものです。たとえば動画をYouTubeにアップロードする時には、「sample.mp4」といった動画ファイルを用意します。コンピューターはファイルに「.mp4」という拡張子が付いていることで、そのファイルが動画ファイルであることを認識します。ですから、問題なく動画をYouTubeにアップロードをすることができます。動画ファイルの拡張子には「mp4」以外にも「mov」や「avi」などの種類がありますが、動画ファイル形式以外の拡張子では、YouTubeはアップロードしようとしているファイルが動画ファイルであることを認識できないので、アップロードに失敗してしまうのです。

　他にも私たちがよく使うアプリケーションにWindowsのExcelやWordがありますが、Excelファイルであれば「.xlsx」、Wordファイルであれば「.docx」といった拡張子が決められています。コンピューターはそれぞれのファイルの拡張子を基準にして、どのアプリケーションを開けば良いのか判断しているのです。

## 第2章

文字や数字の使い方を知る

習うより慣れろじゃ！ 簡単な文字や数字を使ってみるぞ！

簡単なものなら僕でもできそう…！

この章で学べること

今回は簡単な文字と数字を
表示してみるぞ

「変数」や「型」などの考え方
も学ぶのじゃ

「変数」や「型」?
新しいことを覚えるのは
苦手だけどとりあえず
やってみるか

○ 文字を表示する
○ 「データ」を「変数」に入れて使いやすくする
○ 文字列を加工する
○ データの「型」を変換する
○ たくさんのデータは「リスト」に入れて使う

文字を表示する

print()って数字だけしか表示できないんですか？
自分の名前も表示させてみたいです

ほっほ
もちろん漢字やひらがなも使えるから
名前を表示させることもできるぞい

やった！
プログラミングらしくなってきた！

文字列を表示する

print()で、日本語や記号などの文字列を表示する時は「'（シングルクォーテーション）」または「"（ダブルクォーテーション）」を使います。「'」と「"」どちらを使ってもいいです。

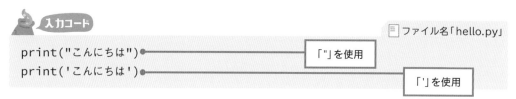

入力コード　　　　　　　　　　　　　　　　　📄 ファイル名「hello.py」

```
print("こんにちは")          ──── 「"」を使用
print('こんにちは')          ──── 「'」を使用
```

hello.py - C:\Users\csakamoto\Desktop\サン

File Edit Format Run Options Window Help

```
print("こんにちは")
print('こんにちは')
```

実際の画面では
こうじゃ

 実行結果

こんにちは
こんにちは

実際の画面では
こんな感じか

 IDLE Shell 3.9.1   —

File   Edit   Shell   Debug   Options   Window   Help

```
Python 3.9.1 (tags/v3.9.1:1e5d33e, Dec  7 2020, 17:08:21) [MSC v.1927 6
D64)] on win32
Type "help", "copyright", "credits" or "license()" for more information
>>>
================= RESTART: C:\Users\Owner\Downloads\hello.py =========
こんにちは
こんにちは
>>> |
```

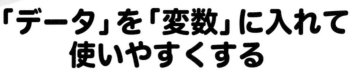

「データ」を「変数」に入れて
使いやすくする

この章ではデータの使い方について学んでいくぞい

データって
売上データとか顧客データとかのことですか？

それもデータじゃがプログラミングでは
プログラムの中で使う文字列や数字のこともデータと呼ぶんじゃ

へーそうなんですね

そしてデータは扱いやすいように変数に入れて使うんじゃ

変数？　なんだか難しくなってきたぞ

心配無用じゃ！　言葉は難しく感じるが文字列や数字などの
データを「ラベル」に置き換えているだけじゃ

ラベル？　ますますわからなくなってきた

実際に見てみるかのう

データを変数に入れる

たとえば「1234567891011121314151617181920」のような長いデータを何度も表示したい時、これまでに学んだ方法で書くと以下のようになります。

 入力コード　　　　　　　　　　　　　　　　　📄 ファイル名「var1.py」

```
print(1234567891011121314151617181920)
print(1234567891011121314151617181920)
print(1234567891011121314151617181920)
```

 実行結果

```
1234567891011121314151617181920
1234567891011121314151617181920
1234567891011121314151617181920
```

いくつも書くのは
大変だ

どうでしょうか。何度も書くのは大変だし、コードも読みづらくなってしまいますね。そこでxという名前のラベルを作って、そのラベルにデータを入れて置き換えてみます。

```
x = 1234567891011121314151617181920
```
● ─── xというラベルにデータを入れる

この、データを入れたラベル x を「変数」と呼びます。変数の名前は x 以外でもかまいません。（※P.43の「メモ」に詳細があります）**変数 x にデータを入れたことで、長いデータも扱いやすくなります。**変数 x を使って、上と同じように同じ数字を3回表示させてみましょう。

41

入力コード

ファイル名「var2.py」

```
x = 123456789101112131415161718190
print(x)
print(x)
print(x)
```

変数に入れることで
くり返し使えて
楽だ〜！

var2.py - C:¥Users¥csakamoto¥Desktop¥サンプルファイル¥

File Edit Format Run Options Window Help

```
x = 123456789101112131415161718190
print(x)
print(x)
print(x)
```

実際の画面では
こうじゃ

実行結果

```
123456789101112131415161718190
123456789101112131415161718190
123456789101112131415161718190
```

IDLE Shell 3.9.1   —   □

File   Edit   Shell   Debug   Options   Window   Help

```
Python 3.9.1 (tags/v3.9.1:1e5d33e, Dec  7 2020, 17:08:21) [MSC v.1927 64 bit
D64)] on win32
Type "help", "copyright", "credits" or "license()" for more information.
>>>
================== RESTART: C:¥Users¥Owner¥Downloads¥var2.py ==============
123456789101112131415161718190
123456789101112131415161718190
123456789101112131415161718190
>>>
```

実際の画面では
こんな感じか

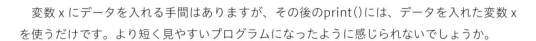

変数 x にデータを入れる手間はありますが、その後のprint()には、データを入れた変数 x を使うだけです。より短く見やすいプログラムになったように感じられないでしょうか。

変数の名前には「半角英数字（0 〜 9, a-z）」と「アンダースコア(_)」のみが使えます。また、変数名は数字からはじめられない、forやifなどの予約語と呼ばれる文字列と同じ名前を付けられないなどの制約がありますが、その他では自由に名前を決められます。

変数に入れられるデータの種類

変数に入れられるデータには文字列や数字以外にもいくつかの種類があります。**データの種類のことを、プログラミングでは「データ型」と呼びます。**よく使うデータ型には、次のようなものがあります。

表 データ型の種類

分類	データ型	記述例
文字列	str 型	"こんにちは"
整数	int 型	10
小数点	float 型	1.234
真偽値	bool 型	True
リスト	list 型	[1,2,3,4,5,6,7,8,9]

データ型はP.52でも詳しく説明するぞい

データ型に分けて表示する

Pythonでは、どんなデータ型でも
「**変数 = データ**」
と書くことでデータ型を意識せず変数に入れられます。

 入力コード

📄 ファイル名「var3.py」

```
i = 10
f = 1.234
s = "こんにちは"
b = True
print(i, f, s, b)
```

 実際の画面では こうじゃ

📄 var3.py – C:¥Users¥csakamoto¥Desktop¥サンプルファイル¥

File Edit Format Run Options Window Help

```
i = 10
f = 1.234
s = "こんにちは"
b = True
print(i, f, s, b)
```

 実行結果

```
10 1.234 こんにちは True
```

📄 IDLE Shell 3.9.1   —   □

File Edit Shell Debug Options Window Help

```
Python 3.9.1 (tags/v3.9.1:1e5d33e, Dec  7 2020, 17:08:21) [MSC v.1927 64 bit
D64)] on win32
Type "help", "copyright", "credits" or "license()" for more information.
>>>
=================== RESTART: C:¥Users¥Owner¥Downloads¥var3.py ===============
10 1.234 こんにちは True
>>>
```

　ただし、データ型が違うデータどうしを処理する時には、データ型を合わせて処理しないとエラーとなってしまうことがあるので注意しましょう。データ型を変換する方法は『2-04　データの「型」を変換する』(P.52)で学びましょう。

44

文字列を加工する

プログラミングでは
文字列を加工することがよくあるんじゃ

細かい作業が必要そうですね
大変じゃないですか?

そんなことはない!
変数を使えばわかりやすくて簡単じゃ

つまり文字列を変数に入れて
加工するとか…?

その通りじゃ! 早速やってみるぞ

適当に言ったのに当たってしまった…ラッキー!

文字列を連結する

「+」を使うことで、複数の文字列をつなげられます。

▶ 文字列の連結の書き方

"文字列" + "文字列"

 入力コード

ファイル名「var4.py」

```
s1 = "今日のレッスンは" + "文字列の加工についてです。"
s2 = "今日の" + "天気は" + "晴れ" + "です。"
print(s1)
print(s2)
```

文字列が2つでも
4つでもつなげら
れるんだ！

```
var4.py - C:¥Users¥csakamoto¥Desktop¥サンプルファイル¥Chapter2¥var4

File Edit Format Run Options Window Help
s1 = "今日のレッスンは" + "文字列の加工についてです。"
s2 = "今日の" + "天気は" + "晴れ" + "です。"
print(s1)
print(s2)
```

実際の画面では
こうじゃ

 実行結果

今日のレッスンは文字列の加工についてです。
今日の天気は晴れです。

```
IDLE Shell 3.9.1                                        —   □

File  Edit  Shell  Debug  Options  Window  Help
Python 3.9.1 (tags/v3.9.1:1e5d33e, Dec  7 2020, 17:08:21) [MSC v.1927 64 bit
D64)] on win32
Type "help", "copyright", "credits" or "license()" for more informati
>>>
==================== RESTART: C:¥Users¥Owner¥Downl
今日のレッスンは文字列の加工についてです。
今日の天気は晴れです。
>>>
```

実際の画面では
こんな感じか

文字列の一部を取り出す

文字列は[]（ブラケット）を使って、文字列の中の一部分だけを取り出せます。

🌸 文字を1文字取り出す

文字列の中から1文字だけ取り出したい時は、[]に抜き出したい文字の位置（インデックス）番号を指定します。**位置番号は0からはじまることに注意しましょう。**

▍文字を1文字取り出す書き方

文字列[位置番号]

 入力コード

📄ファイル名「var5.py」

```
s = "abcde"
print(s[2])
```

「abcde」を0から数えて
2番目の「c」を表示

```
📄 var5.py - C:¥Users¥csakamoto¥Desktop¥サンプルファイル¥

File  Edit  Format  Run  Options  Window  Help

s = ″abcde″
print(s[2])
```

実行結果

c

```
📄 IDLE Shell 3.9.1                                    ─    □

File   Edit   Shell   Debug   Options   Window   Help

Python 3.9.1 (tags/v3.9.1:1e5d33e, Dec  7 2020, 17:08:21) [MSC v.1927 64 bit
D64)] on win32
Type ″help″, ″copyright″, ″credits″ or ″license()″ for more information.
>>>
================ RESTART: C:¥Users¥Owner¥Downloads¥var5.py ================
c
>>> |
```

✿ 文字列を指定の範囲だけ取り出す

　文字列を指定の範囲だけ取り出したい時は、「：（コロン）」を使って、抜き出したい文字列の開始位置と終了位置+1を指定します。**抜き出したい文字列の終了位置に「＋1」することを忘れないよう注意しましょう。**

▌開始位置から終了位置までの文字列を取り出す書き方

文字列[開始位置:終了位置+1]

 　　　　　　　　　　　　　　　　　　　🗒ファイル名「var6.py」

```
s = "今日の天気は晴れです"
print(s[3:8])
```

> 0から数えて3番目→
> 0から数えて7番目まで表示

📄 var6.py - C:¥Users¥csakamoto¥Desktop¥サンプルファイル¥

File　Edit　Format　Run　Options　Window　Help

```
s = "今日の天気は晴れです"
print(s[3:8])
```

天気は晴れ

🗒 IDLE Shell 3.9.1　　　　　　　　　　　　　　　　　　— 　☐

File　Edit　Shell　Debug　Options　Window　Help

```
Python 3.9.1 (tags/v3.9.1:1e5d33e, Dec  7 2020, 17:08:21) [MSC v.1927 64 bit (
D64)] on win32
Type "help", "copyright", "credits" or "license()" for more information.
>>>
=================== RESTART: C:¥Users¥Owner¥Downloads¥var6.py ===================
天気は晴れ
>>> |
```

> 終了位置に指定する数字は
> 「0から数えて終了したい〇番目に1を足した数字」じゃぞ！

　開始位置や終了位置を省略することもできます。**開始位置を省略すると、文字列の「先頭から終了位置まで」、終了位置を省略すると「開始位置から末尾まで」を取り出します。**実際に見てみましょう。

▶先頭から終了位置までの文字列を取り出す書き方

文字列[:終了位置+1]

 入力コード

📄ファイル名「var7.py」

```
s = "今日の天気は晴れです"
print(s[:8])
```

> 先頭から、終了位置＋1＝0から数えて
> 7番目まで表示

📄 var7.py - C:¥Users¥csakamoto¥Desktop¥サンプルファイル¥

File　Edit　Format　Run　Options　Window　Help

```
s = ″今日の天気は晴れです″
print(s[:8])
```

 実行結果

```
今日の天気は晴れ
```

📄 IDLE Shell 3.9.1　　　　　　　　　　　　　　　　　　　─　　□

File　Edit　Shell　Debug　Options　Window　Help

```
Python 3.9.1 (tags/v3.9.1:1e5d33e, Dec  7 2020, 17:08:21) [MSC v.1927 64 bit
D64)] on win32
Type ″help″, ″copyright″, ″credits″ or ″license()″ for more information.
>>>
==================== RESTART: C:¥Users¥Owner¥Downloads¥var7.py ===============
今日の天気は晴れ
>>> |
```

> 終了位置に指定する数字を間違えそうになっちゃうな！
> 気をつけよう

▌開始位置から末尾までの文字列を取り出す書き方

文字列[開始位置:]

 入力コード

📄 ファイル名「var8.py」

```
s = "今日の天気は晴れです"
print(s[3:])
```

開始位置＝0から数えて
3番目から末尾まで表示

```
var8.py - C:¥Users¥csakamoto¥Desktop¥サンプルファイル¥

File  Edit  Format  Run  Options  Window  Help
s = "今日の天気は晴れです"
print(s[3:])
```

 実行結果

天気は晴れです

```
IDLE Shell 3.9.1                                          —    □

File  Edit  Shell  Debug  Options  Window  Help
Python 3.9.1 (tags/v3.9.1:1e5d33e, Dec  7 2020, 17:08:21) [MSC v.1927 64 bit
D64)] on win32
Type "help", "copyright", "credits" or "license()" for more information.
>>>
=================== RESTART: C:¥Users¥Owner¥Downloads¥var8.py ===============
天気は晴れです
>>> |
```

開始位置のことしか
考えなくていいから
楽だ！

指定の文字列に置き換える

文字列の中の指定の文字列を、別の文字列に置き換える時はreplace()を使います。

■ 指定の文字列に置き換える書き方

文字列.replace("置き換えたい文字列","置き換え後の文字列")

 入力コード
📄 ファイル名「var9.py」

```
s = "今日の天気は晴れです"
print(s.replace("晴れ","雨"))
```

変数sの文章中にある「晴れ」を「雨」に差し替えて表示

```
📄 var9.py - C:¥Users¥csakamoto¥Desktop¥サンプルファイル¥

File  Edit  Format  Run  Options  Window  Help

s = "今日の天気は晴れです"
print(s.replace("晴れ", "雨"))
```

🐘 実行結果

今日の天気は雨です

```
📄 IDLE Shell 3.9.1                                      ─    □

File  Edit  Shell  Debug  Options  Window  Help

Python 3.9.1 (tags/v3.9.1:1e5d33e, Dec  7 2020, 17:08:21) [MSC v.1927 64 bit
D64)] on win32
Type "help", "copyright", "credits" or "license()" for more information.
>>>
================== RESTART: C:¥Users¥Owner¥Downloads¥var9.py ==============
今日の天気は雨です
>>> |
```

 Wordの置換と似た機能だな

データの「型」を変換する

複数のデータをくっつけたりする時は
基本的に同じデータ型どうしじゃないとダメなんじゃ

ええと…たとえば文字列の「国語の点数」という文字と
数字の「60」をくっつけたりはできないってことですか？

その通り！
ただし同じ型に変換すればくっつけられるんじゃ！

具体的にどうすればいいんですか？

「国語の点数」は文字列じゃからint型には変換できん
でも「60」は文字列にも変換できるということは…？

わかった！
「60」をstr型に変換すればいいんですね

その通りじゃ！

int型をstr型に変換する

int（整数）型の数字をstr（文字列）型の文字列に変換するには「str()」を使います。

▶ 書き方

str(変換したい数字)

 入力コード

📄 ファイル名「var10.py」

```
s = "今日の試験の点数:" + str(60)
print(s)
```

数字「60」を文字列に変換

📄 var10.py - C:¥Users¥csakamoto¥Desktop¥サンプルファイル

File Edit Format Run Options Window Help

```
s = "今日の試験の点数:" + str(60)
print(s)
```

 実行結果

今日の試験の点数:60

🐍 IDLE Shell 3.9.1   — □

File Edit Shell Debug Options Window Help

```
Python 3.9.1 (tags/v3.9.1:1e5d33e, Dec  7 2020, 17:08:21) [MSC v.1927 64 bit
D64)] on win32
Type "help", "copyright", "credits" or "license()" for more information.
>>>
================== RESTART: C:¥Users¥Owner¥Downloads¥var10.py ===============
今日の試験の点数:60
>>>
```

文字や数字の使い方を知る

str型をint型に変換する

str型もint型に変換できます。数字と文字列の足し算を考えてみましょう。

入力コード　　　　　　　　　　　　　　　　　📄 ファイル名「var11.py」

```
i = 10 + "20"
print(i)
```

そのまま「+」で足している

実行結果ですが、以下の画像のようにエラーになってしまいます。データ型が異なる数字と文字列の足し算になっているためです。

```
IDLE Shell 3.9.1                                    —    □

File  Edit  Shell  Debug  Options  Window  Help

Python 3.9.1 (tags/v3.9.1:1e5d33e, Dec  7 2020, 17:08:21) [MSC v.1927 64 bit
D64)] on win32
Type "help", "copyright", "credits" or "license()" for more information.
>>>
================ RESTART: C:¥Users¥Owner¥Downloads¥var11.py ==============
Traceback (most recent call last):
  File "C:¥Users¥Owner¥Downloads¥var11.py", line 1, in <module>
    i = 10 + "20"
TypeError: unsupported operand type(s) for +: 'int' and 'str'
>>>
```

この場合は文字列を数字に変換して計算しなければなりません。str型の文字列をint型に変換するためにはint()を使います。

str型とint型をそのまま足しておるからエラーになってしまったのお
次はきちんと変換するようコードを説明するぞい！

 入力コード

ファイル名「var12.py」

```
i = 10 + int("20")
print(i)
```

文字列「20」をint型に
変換して足した

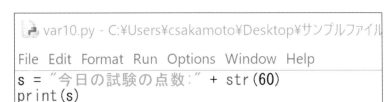

var10.py - C:¥Users¥csakamoto¥Desktop¥サンプルファイル

File　Edit　Format　Run　Options　Window　Help

```
s = "今日の試験の点数：" + str(60)
print(s)
```

 実行結果

```
30
```

IDLE Shell 3.9.1　　　　　　　　　　　　　　　　　　　　　　— □

File　Edit　Shell　Debug　Options　Window　Help

```
Python 3.9.1 (tags/v3.9.1:1e5d33e, Dec  7 2020, 17:08:21) [MSC v.1927 64 bit
D64)] on win32
Type "help", "copyright", "credits" or "license()" for more information.
>>>
================== RESTART: C:¥Users¥Owner¥Downloads¥var12.py ==============
30
>>> |
```

 コラム　他の言語だとデータ型をはじめに指定する必要があることも

　プログラミング言語によっては「int i = 10」のように変数に入れるデータ型をあらかじめ指定しなければならないことがあります。それに比べるとPythonのデータ型の使い方は簡単ですね。

2

文字や数字の使い方を知る

たくさんのデータは「リスト」に入れて使う

ちょっと疑問なんですけど、たとえばクラス全体のテストの点数をまとめて計算したい時ってありますよね？

うむ、あるのう

そんな時にも変数が使えると思うんですけど…その場合は一人一人の点数に変数を作らないといけないんですか？
x=65, y=50, z=90…みたいに。すごく面倒そう…

ほほー　君にしては鋭い質問じゃのう

やっぱりあるんですね、なにか便利な方法が！
教えてください！

たくさんのデータを使いたい時は「リスト」を使うんじゃ
1つの変数にデータをまとめて入れられるんじゃよ
詳しく説明してやろう！

リストの作り方

リストを使うことで、たくさんのデータを1つの変数に入れて使えます。

　リストは、[]（ブラケット）の中に1つずつのデータを「,（カンマ）」で区切って作成します。**リストの中の1つ1つのデータのことを「要素」と呼びます。**

2

文字や数字の使い方を知る

▶ リストを作る時の書き方

> リスト名 = [要素1, 要素2, 要素3・・・]

 コード例

```
score = [65, 50, 90, 100, 25, 55, 70, 80]
```

リスト「score」に入っている
データを定義

リストの使い方

　リストは、リスト内の要素の位置番号を指定して取り出します。位置番号は0からはじまることに注意しましょう。

▶ リストから要素を取り出す書き方

> リスト名 [位置番号]

 入力コード

📄 ファイル名「list1.py」

```
score = [65, 50, 90, 100, 25, 55, 70, 80]
a = score[5]
print(a)
```

リスト「score」に入っているデータの
0から数えて5番目を変数aに入れる

```
📄 list1.py - C:¥Users¥csakamoto¥Desktop¥サンプルファイル¥

File  Edit  Format  Run  Options  Window  Help

score = [65, 50, 90, 100, 25, 55, 70, 80]
a = score[5]
print(a)
```

実行結果

55

```
IDLE Shell 3.9.1                                              ─    □

File  Edit  Shell  Debug  Options  Window  Help
Python 3.9.1 (tags/v3.9.1:1e5d33e, Dec  7 2020, 17:08:21) [MSC v.1927 64 bit
D64)] on win32
Type "help", "copyright", "credits" or "license()" for more information.
>>>
================== RESTART: C:¥Users¥Owner¥Downloads¥list1.py ================
55
>>> |
```

リストの合計を簡単に計算する

Pythonには、リスト内の合計値を計算してくれるsum()という命令文があります。
sum()を使ってscore の合計値を簡単に計算してみましょう。

■sum()の書き方

sum(リスト名)

 入力コード　　　　　　　　　　　　　　　　　　　　　　　📄ファイル名「list2.py」

```
score = [65, 50, 90, 100, 25, 55, 70, 80]
print(sum(score))
```
リスト「score」内の合計値を表示

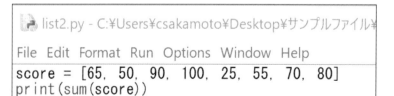

```
list2.py - C:¥Users¥csakamoto¥Desktop¥サンプルファイル¥

File  Edit  Format  Run  Options  Window  Help
score = [65, 50, 90, 100, 25, 55, 70, 80]
print(sum(score))
```

 **実行結果**

535

```
IDLE Shell 3.9.1                                    —  □
File  Edit  Shell  Debug  Options  Window  Help
Python 3.9.1 (tags/v3.9.1:1e5d33e, Dec  7 2020, 17:08:21) [MSC v.1927 64 bit
D64)] on win32
Type "help", "copyright", "credits" or "license()" for more information.
>>>
================== RESTART: C:¥Users¥Owner¥Downloads¥list2.py ===============
535
>>> |
```

リストを操作する

リストの最後に要素を追加する

リストの最後に要素を追加する時は、append()を使います。

▌append()の書き方

リスト名.append(追加したい要素)

 入力コード　　　　　　　　　　　　　　　　　📄ファイル名「list3.py」

```
score = [65, 50, 90, 100, 25, 55, 70, 80]
score.append(75)
print(score)
```
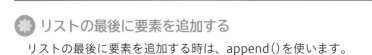
リスト「score」の最後に
データ「75」を追加

```
list3.py - C:¥Users¥csakamoto¥Desktop¥サンプルファイル¥
File  Edit  Format  Run  Options  Window  Help
score = [65, 50, 90, 100, 25, 55, 70, 80]
score. append(75)
print(score)
```

文字や数字の使い方を知る

2

実行結果

```
[65, 50, 90, 100, 25, 55, 70, 80, 75]
```

```
IDLE Shell 3.9.1                                               ─    □

File  Edit  Shell  Debug  Options  Window  Help
Python 3.9.1 (tags/v3.9.1:1e5d33e, Dec  7 2020, 17:08:21) [MSC v.1927 64 bit
D64)] on win32
Type "help", "copyright", "credits" or "license()" for more information.
>>>
================== RESTART: C:¥Users¥Owner¥Downloads¥list3.py ===============
[65, 50, 90, 100, 25, 55, 70, 80, 75]
>>> |
```

リストの好きな位置に要素を追加する

リストの好きな位置に要素を追加する時は、insert()を使います。位置番号は0からはじまることに注意しましょう。

▶ insert()の書き方

リスト名.insert(要素を追加したい位置番号, 追加したい要素)

入力コード　　　　　　　　　　　　　　　　　　　📄ファイル名「list4.py」

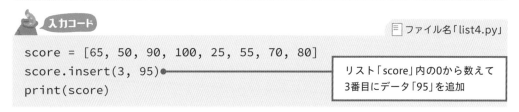

```
score = [65, 50, 90, 100, 25, 55, 70, 80]
score.insert(3, 95)●─────────────────────
print(score)
```

リスト「score」内の0から数えて
3番目にデータ「95」を追加

```
list4.py - C:¥Users¥csakamoto¥Desktop¥サンプルファイル¥

File  Edit  Format  Run  Options  Window  Help
score = [65, 50, 90, 100, 25, 55, 70, 80]
score. insert(3, 95)
print(score)
```

実行結果

```
[65, 50, 90, 95, 100, 25, 55, 70, 80]
```

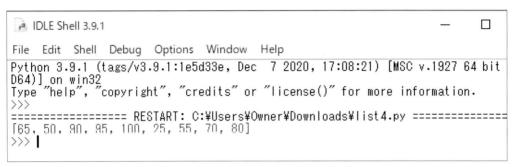

メモ

append()やinsert()は、new_score=score.append(75)のように別の変数にリストを入れなおせません。その理由はappend()やinsert()がリストではなく「None」というオブジェクトを返すことによるものですが、理解が難しいため、今の時点では深く考えずに学習を進めてください。

リストを結合する

2つ以上のリストを結合する時は、文字列の連結と同じように「+」を使います。

 入力コード　　　　　　　　　　　　　　ファイル名「list5.py」

```
score1 = [65, 90, 25, 45]
score2 = [15, 75, 80]
print(score1+ score2)
```

リスト「score1」と「score2」を結合

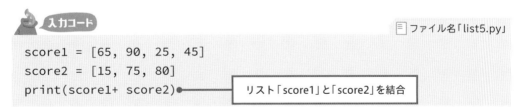

実行結果

[65, 90, 25, 45, 15, 75, 80]

```
IDLE Shell 3.9.1                                      —    □

File   Edit   Shell   Debug   Options   Window   Help

Python 3.9.1 (tags/v3.9.1:1e5d33e, Dec  7 2020, 17:08:21) [MSC v.1927 64 bit
D64)] on win32
Type "help", "copyright", "credits" or "license()" for more information.
>>>
================== RESTART: C:¥Users¥Owner¥Downloads¥list5.py ==============
[65, 90, 25, 45, 15, 75, 80]
>>>
```

難しいところも時々あるけど…プログラミングっぽいことができてる！

プログラミングっぽいではなく立派なプログラミングじゃよ！

第 3 章

プログラムの基本の動きを扱う

基本の動きをマスターすれば、よりプログラムらしいコードを書けるようになるんじゃ！

少し難しそうかなと思ったけど、コードはそんなに長くないし大丈夫かな？

この章で学べること

「もしも」「くり返し」という
プログラムの流れを教えるぞい！

さらに0からプログラムを書くので
はなく、他の人が作ったプログラム
を使う方法も教えてやろうのう！

他の人が作ったプログラム
を使えるんですか！？　す
ごく楽そう…じゃなかった
嬉しい！　早く教えてくだ
さい！

- ◎「もしも」「くり返し」の2つの流れを理解する
- ◎「もしも〜なら」で処理を変える
- ◎ 同じ処理をくり返す
- ◎ 何度も使う「動き」をまとめる
- ◎ 他の人が作ったプログラムを使う

「もしも」「くり返し」の 2つの流れを理解する

プログラムがどんな流れでコンピューターに読まれるか
知っておるかな？

「上から順番」に読まれる！　ですよね？

そうじゃ正解じゃ！
しかし「上から順番」の流れ以外にも基本となる流れが2つあるんじゃ

う～ん思いつかないです

「もしも」と「くり返し」じゃ
すべてのプログラムは「上から順番」「もしも」「くり返し」の
3つの流れを組み合わせて作られとるんじゃ

3つだけなんですね！
ということはプログラムって、この3つを組み合わせて
書けばいいってことですか？

そういうことじゃ！
早速「もしも」と「くり返し」を説明していくぞ

「もしも」「くり返し」処理の基本

 「もしも」で処理を変える

　「もしも」は、ある条件によって処理する結果を変えられます。これを「分岐処理」といいます。実は私たちが日常生活で何かを決める時にも、分岐処理と同じように考えていることがあります。たとえば、天気が「晴れ」の時と「雨」の時で通勤時の「交通手段」を変えることがありますよね。その判断を分岐処理で考えると下のようにあらわせます。

― もしも、晴れていたら
―――― 自転車で通勤する
― もしも、雨だったら
―――― 電車で通勤する

 「くり返し」で同じ処理をする

　「くり返し」では、同じ処理をくり返しおこないます。これを「反復処理」といいます。反復処理では、指定した回数をくり返したり、リストの中の要素の数だけくり返したりできます。「同じ処理をくり返す」という点がポイントです。たとえば「今日の売上の合計が知りたい」時は、1つ1つの売上のデータをすべて足せばいいですね。
　「1つ1つのデータを足す」という作業は、下のように反復処理であらわせます。

1. 売上のデータが存在すれば
2. 売上データを足す
3. 「1.」に戻る。他にも売上データが存在すれば1を再度実行する

「もしも～なら」で処理を変える

「もしも」で処理を変えることを何と言ったか覚えておるかの？

「分岐処理」ですね！

そうじゃ！**分岐処理**では「if文」を使って「もしも～なら」という
条件で処理の内容を変えることができるぞ

67ページの「もしも、晴れていたら」「もしも、雨だったら」
の部分かな？

そうじゃ！
「晴れ」の場合と「雨」の場合とで結果を変えるわけじゃな
そして、この条件の判断のために作る式を「条件式」という

条件式を作って、その条件式に一致する時としない時で
処理を変えればいいんですか？

その通りじゃ！

if文の書き方

 基本の書き方

▌if文の基本の書き方

```
if 条件式:
□□□□条件を満たした時の処理 ●―――― 行頭にインデントを入れる
```

 コード例

```
if weather == "晴れ" :
□□□□print("自転車で通勤する") ●―――― 行頭にインデントを入れる
```

⚠ if文の2行目以降の処理は、必ず「インデント (字下げ)」しましょう。

> インデントは行頭で「Tab」キー、または半角のスペースを4つ入れます。

　インデントを入れないと、下の画像のように「SyntaxError: expected an indented block」というエラーになり、プログラムが停止してしまいます。

```
>>> if weather == "晴れ":
print("自転車で通勤する")
SyntaxError: expected an indented block
>>>
```

 同じ条件の処理はインデントを合わせる

同じ条件の中で実行される処理は、必ずインデントを合わせます。

同じ深さのインデントで記述されたひとまとまりを「ブロック」と呼びます。

```
if 条件式 :
□□□□条件を満たした時の処理1 ┐
□□□□条件を満たした時の処理2 ┘      ブロック
```

以下のように、Pythonではインデントの深さが違うと、別のブロックと認識されるので注意が必要です。

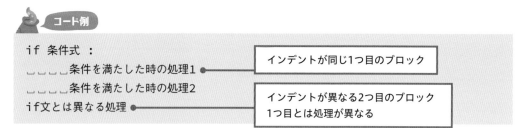

```
if 条件式 :
□□□□条件を満たした時の処理1 ●——— インデントが同じ1つ目のブロック
□□□□条件を満たした時の処理2
if文とは異なる処理 ●——————— インデントが異なる2つ目のブロック
                                  1つ目とは処理が異なる
```

✿ if文の中にif文を書く時のブロック

if文の中にif文を書くこともあります。その場合、内側のif文の処理はさらに1段インデントを下げます。

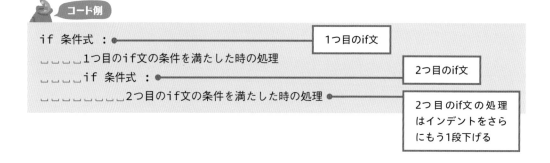

```
if 条件式 : ●————————————— 1つ目のif文
□□□□1つ目のif文の条件を満たした時の処理
□□□□if 条件式 : ●——————— 2つ目のif文
□□□□□□□□2つ目のif文の条件を満たした時の処理 ●——— 2つ目のif文の処理
                                              はインデントをさら
                                              にもう1段下げる
```

if文の中のif文は「もしも〜なら〜、さらにもしも〜なら〜」
というように、条件を複数処理できるんじゃ

条件式の作り方

　条件式を作ってみましょう。たとえば「もしも天気が晴れなら」という条件式を日本語のイメージで書くと次のようになります。（※実際にはこのような書き方はしません）

```
if 天気 == 晴れ :
```

ここで使っている「==」は、2つの値が等しいかどうかを判断しています。
　「==」のように2つの値を比較する時に使用される記号を「比較演算子」と呼び、「==」以外にもさまざまな種類があります。

 **比較演算子の種類**

種類	説明
a == b	aとbは等しい
a != b	aとbは等しくない
a < b	aはbより小さい
a > b	aはbより大きい
a <= b	aはbと等しいか小さい
a >= b	aはbと等しいか大きい

　さきほどの日本語のイメージで作成した式を、第2章で学習した「文字列」と「変数」（P.40）を使って、実際の条件式に変換してみましょう。
　weatherという変数を作って、天気を表す「晴れ」という文字列を入れてみます。

 コードのイメージ

```
weather == "晴れ"
```

　この条件式を使うと、「もしも天気が晴れなら」というif文は次のように書けます。

```
if weather == "晴れ" :
```

　この条件式は「もしも変数weatherに入っている文字列が『晴れ』という文字列と等しいなら」という条件を表していることになります。

 条件式とはその名の通り「式」じゃから
2つの値を比較できるように考えて作るんじゃ

　weatherには「晴れ」という文字列が入っているので、この条件式の結果は「2つの値は等しい」と判断されます。

if文を書く

天気が「晴れだった場合」のif文を、実際に書いて実行してみましょう。

 入力コード　　　　　　　　　　　　　　　　　　　　📄 ファイル名「if1.py」

```
weather = "晴れ"          weatherに「晴れ」を入れる
if weather == "晴れ" :
____print("自転車で通勤します")
```

```
if1.py - C:¥Users¥csakamoto¥Desktop¥サンプルファイル¥C

File  Edit  Format  Run  Options  Window  Help
weather = "晴れ"
if weather == "晴れ" :
    print("自転車で通勤します")
```

 「もしも変数weatherが
"晴れ"なら」というif文か！

実行結果

自転車で通勤します

```
IDLE Shell 3.9.1                                        ─    □

File  Edit  Shell  Debug  Options  Window  Help

Python 3.9.1 (tags/v3.9.1:1e5d33e, Dec  7 2020, 17:08:21) [MSC v.1927 64 bit
D64)] on win32
Type "help", "copyright", "credits" or "license()" for more information.
>>>
==================== RESTART: C:¥Users¥Owner¥Downloads¥if1.py ================
自転車で通勤します
>>>
```

次に1行目のweather の値を「晴れ」以外の文字列に変えて実行してみましょう。

 入力コード   📄ファイル名「if2.py」

```
weather = "雨"                    ← weatherに「雨」を入れる
if weather == "晴れ" :
□□□□print("自転車で通勤します")
```

```
if2.py - C:¥Users¥csakamoto¥Desktop¥サンプルファイル¥Ch

File  Edit  Format  Run  Options  Window  Help

weather = "雨"
if weather == "晴れ" :
    print("自転車で通勤します")
```

 実行結果

何も表示されない

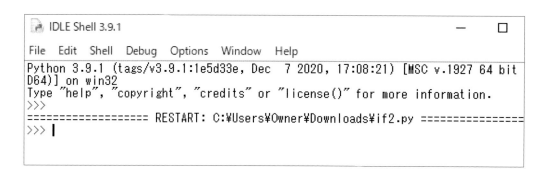

weatherが「晴れ」の場合には「自転車で通勤します」と出力され、weatherが「雨」の場合には何も表示されませんでしたね。条件が異なると結果も異なるという例です。

2つの条件で処理を変える

さきほどの「if文を書いてみる」では1つの条件が正しい時にのみ処理を実行し、条件が正しくない時には何も表示されませんでした。

if文では、2つの条件で処理を変えることもできます。2つの条件で処理を変える時は、「if else文」を使います。

入力コード　　　　　　　　　　　　　　　　　　　　　　ファイル名「if3.py」

```
weather = "晴れ"
if weather == "晴れ":          ● ―――― weatherが「晴れ」の時
￭￭￭￭print("自転車で通勤します")
else :                        ● ―――― weatherが「晴れ」以外の時
￭￭￭￭print("電車で通勤します")
```

```
if3.py - C:¥Users¥csakamoto¥Desktop¥サンプルファイル¥Chapter3¥if3.py
File  Edit  Format  Run  Options  Window  Help
weather = "晴れ"
if weather == "晴れ":
    print("自転車で通勤します")
else :
    print("電車で通勤します")
```

実行結果

自転車で通勤します

```
IDLE Shell 3.9.1                                          ─    □

File  Edit  Shell  Debug  Options  Window  Help
Python 3.9.1 (tags/v3.9.1:1e5d33e, Dec  7 2020, 17:08:21) [MSC v.1927 64 bit
D64)] on win32
Type "help", "copyright", "credits" or "license()" for more information.
>>>
=================== RESTART: C:¥Users¥Owner¥Downloads¥if3.py ===============
自転車で通勤します
>>> |
```

if文の条件式が正しい（weatherが「晴れ」）場合には、「自転車で通勤します」と表示され、if
文の条件式が正しくない（weatherが「晴れ」以外）場合には、「電車で通勤します」と表示され
ます。

また、「2つの条件で処理を変える」なら以下のようにif文を2つ利用する方法もあります。

入力コード 📄 ファイル名「if4.py」

```
weather = "晴れ"
if weather == "晴れ" :
␣␣␣␣print("自転車で通勤します")
if weather == "雨" :
␣␣␣␣print("電車で通勤します")
```

```
if4.py - C:¥Users¥csakamoto¥Desktop¥サンプルファイ

File  Edit  Format  Run  Options  Window  Help
weather = "晴れ"
if weather == "晴れ" :
    print("自転車で通勤します")
if weather == "雨" :
    print("電車で通勤します")
```

自転車で通勤します

```
IDLE Shell 3.9.1                                          ─    □
File   Edit   Shell   Debug   Options   Window   Help
Python 3.9.1 (tags/v3.9.1:1e5d33e, Dec  7 2020, 17:08:21) [MSC v.1927 64 bit
D64)] on win32
Type "help", "copyright", "credits" or "license()" for more information.
>>>
=================== RESTART: C:¥Users¥Owner¥Downloads¥if4.py ==================
自転車で通勤します
>>> |
```

3つ以上の条件で処理を変える

　さきほどは、条件が「晴れ」と「雨」の2つの条件の場合を考えましたが、if文では、3つ以上の条件で処理を変えることもできます。**3つ以上の条件の場合は、「if elif else 文」を使います。**「晴れ」「曇り」、それ以外の時で処理を変えてみましょう。

入力コード　　　　　　　　　　　　　　　　　　　　　　ファイル名「if5.py」

```
weather = "晴れ"
if weather == "晴れ" :
￼￼￼￼print("自転車で通勤します")
elif weather == "曇り" :
￼￼￼￼print("バスで通勤します")
else :
￼￼￼￼print("電車で通勤します")
```

　weatherが「晴れ」の時には、「自転車で通勤します」。weatherが「曇り」の時には、「バスで通勤します」。weather が「晴れ」か「曇り」以外の時には、「電車で通勤します」と表示されます。

コラム　条件式は変数も使える

条件式は必ずしも文字列を比べる必要はない
たとえば変数に数字を入れて処理を分けてもいいのう

 入力コード　　　　　　　　　　　　　　　　　　📄ファイル名「if6.py」

```
stop = 1
if stop == 1 :
□□□□print("ゲームを停止する")
else :
□□□□print("ゲームを続ける")
```

条件式はわかりやすいように自分で考えていいんですね！

プログラムの基本の動きを扱う

3

同じ処理をくり返す

 同じ処理をくり返す「反復処理」ってどんな時に使うんですか？

 良い質問じゃ！　たとえば君が小さな飲食店のオーナーだったとしよう **1日の売上の合計を知りたい時にはどうする？**

 売上の金額を1件ずつ足して合計を出すかな？

 正解じゃ！**合計金額を求めるために足し算をくり返す処理には「反復処理」が使える**

 単純な足し算のような処理だけでなく、**if文と組み合わせるなどすれば、条件を指定して特定のデータを抜き出すこともできるぞい**

 条件を指定して特定のデータを抜き出す？

そうじゃ。たくさんのデータから、ある条件に一致したものだけを取り出したいことがあるじゃろ？　たとえば、飲食店の売上金額のうち「5000円以上を支払ったお客が何組いたか」を知りたいような場合じゃな

なるほど…？

まあまあ
具体的に見ていこうぞ！

for文の基本的な書き方

　for文では、指定した回数をくり返したり、作成したリスト内のデータの個数（回数）だけくり返し処理をしたりできます。

🌸 指定した回数くり返すfor文の書き方

▶ 指定した回数くり返すfor文の書き方

```
for 変数 in range(回数):
□□□□くり返す処理
```

行頭にインデントを入れる

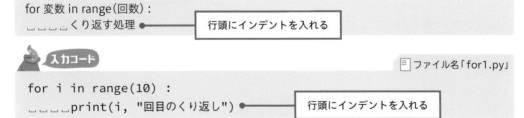

🐌 入力コード　　　　　　　　　　　　　　📄ファイル名「for1.py」

```
for i in range(10):
□□□□print(i, "回目のくり返し")
```

行頭にインデントを入れる

79

```
for1.py - C:¥Users¥csakamoto¥Desktop¥サンプル

File  Edit  Format  Run  Options  Window  Help

for i in range(10) :
    print(i, "回目のくり返し")
```

実行結果

0 回目のくり返し

1 回目のくり返し

2 回目のくり返し

3 回目のくり返し

4 回目のくり返し

5 回目のくり返し

6 回目のくり返し

7 回目のくり返し

8 回目のくり返し

9 回目のくり返し

```
IDLE Shell 3.9.1                                                    —    □

File  Edit  Shell  Debug  Options  Window  Help

Python 3.9.1 (tags/v3.9.1:1e5d33e, Dec  7 2020, 17:08:21) [MSC v.1927 64 bit
D64)] on win32
Type "help", "copyright", "credits" or "license()" for more information.
>>>
=================== RESTART: C:¥Users¥Owner¥Downloads¥for1.py ==============
0 回目のくり返し
1 回目のくり返し
2 回目のくり返し
3 回目のくり返し
4 回目のくり返し
5 回目のくり返し
6 回目のくり返し
7 回目のくり返し
8 回目のくり返し
9 回目のくり返し
>>>
```

range()の()の中に指定した10という数字は、簡単に言うとくり返しの回数です。

range(10)と書くと、forの後にある変数のiは、0からはじまって9まで、range()に指定した10回だけくり返し増えていきます。

たとえばrange(5)と書いた場合は、iは0〜4まで、range(20)と書いた場合は0〜19までくり返し増えていきます。

0からはじまる数え方は、生まれてから1歳の誕生日までを0歳と考える赤ちゃんの年齢の増え方と同じです。混乱してしまった時は、「赤ちゃんの年齢の数え方と同じ」と思い出してみましょう。

 0ではなく1からスタートする書き方

変数 i のカウントは0からではなく、1から始めることもできます。

たとえば1〜10までを出力したい時は、以下のように書きましょう。

 コード例

```
for i in range(1,11) :
```

これは、 i が1からはじまって、11の手前の数字(10)までくり返すという意味です。range(11)という書き方と違って、11回くり返すという命令ではないことを覚えておきましょう。

変数 i は i 以外の名前でもOK

forに続く変数は、 i 以外の変数名を書いてもOKです。 ここでは「count」と書いてみましょう。

入力コード　　　　　　　　　　　　📄ファイル名「for2.py」

```
for count in range(10) :
    print(count, "回目のくり返し")
```

行頭にインデントを入れる

```
for count in range(10) :
    print(count, "回目のくり返し")
```

実行結果

```
0 回目のくり返し
1 回目のくり返し
2 回目のくり返し
3 回目のくり返し
4 回目のくり返し
5 回目のくり返し
6 回目のくり返し
7 回目のくり返し
8 回目のくり返し
9 回目のくり返し
```

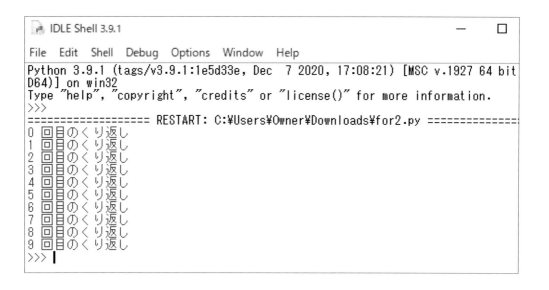

リストを使ってくり返すfor文の書き方

for文は、作成したリストを使って、リスト内のデータの数だけくり返し処理をすることもできます。

■ リストのぶん処理をくり返すfor文の書き方

```
for 変数 in リスト:
□□□□くり返す処理 ●————— 行頭にインデントを入れる
```

入力コード   📄ファイル名「for3.py」

```
sales = [1000, 2000, 5500, 3000] ●————— リストを作成する
for i in sales :
□□□□print(i, "円") ●————— 行頭にインデントを入れる
```

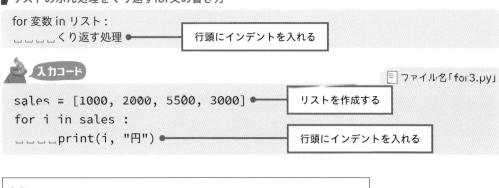

📄 for3.py - C:¥Users¥csakamoto¥Desktop¥サンプル

File Edit Format Run Options Window Help

```
sales = [1000, 2000, 5500, 3000]
for i in sales :
    print(i, "円")
```

 実行結果

```
1000 円
2000 円
5500 円
3000 円
```

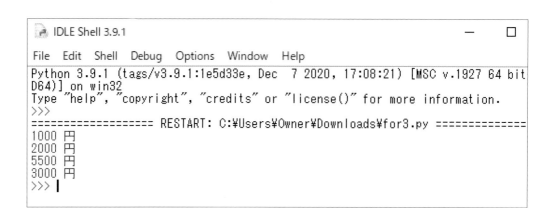

```
IDLE Shell 3.9.1                                          —    □

File  Edit  Shell  Debug  Options  Window  Help

Python 3.9.1 (tags/v3.9.1:1e5d33e, Dec  7 2020, 17:08:21) [MSC v.1927 64 bit
D64)] on win32
Type "help", "copyright", "credits" or "license()" for more information.
>>>
================== RESTART: C:\Users\Owner\Downloads\for3.py ==============
1000 円
2000 円
5500 円
3000 円
>>> |
```

for文とif文を組み合わせる

for文とif文を組み合わせることで、リスト内のデータから特定の条件に一致したデータを抜き出すこともできます。

　リストに入れた売上データの中から、「5000 円以上の売上金額」だけを抜き出す書き方を見てみましょう。

 入力コード   📄 ファイル名「for4.py」

リストを作成する

```
sales = [1000, 2000, 5500, 3000, 900, 1500, 6000, 2500, 5000]
for i in sales :
　　　　if i >= 5000 :
　　　　　　　print(i, "円")
```

for文の中にif文を書くのでインデントを1段下げる

if文の中の処理はインデントを1段下げる

```
for4.py – C:\Users\csakamoto\Desktop\サンプルファイル\Chapter3\for4.p...

File  Edit  Format  Run  Options  Window  Help
sales = [1000, 2000, 5500, 3000, 900, 1500, 6000, 2500, 5000]
for i in sales :
    if i >= 5000 :
        print(i, "円")
```

2行目のfor文でリストsalesの中の売上データを1つずつiに取り出していきます。

3行目のif文では、for文がiに取り出した売上金額が「5000円以上」であるかを判断しています。for文の中にif文を書くのでインデントを1段下げてfor文とは異なるブロックを作ります。

4行目では、3行目のif文の「iが5000円以上」という条件に一致したデータのみprint()で表示をしています。4行目もif文の中で処理をするので、インデントを1段下げます。

実際にプログラムを実行してみると以下のような結果になります。

実行結果

```
5500 円
6000 円
5000 円
```

```
IDLE Shell 3.9.1                                          —    □

File   Edit   Shell   Debug   Options   Window   Help

Python 3.9.1 (tags/v3.9.1:1e5d33e, Dec  7 2020, 17:08:21) [MSC v.1927 64 bit
D64)] on win32
Type "help", "copyright", "credits" or "license()" for more information.
>>>
=================== RESTART: C:\Users\Owner\Downloads\for4.py ===============
5500 円
6000 円
5000 円
>>> |
```

実行結果に、5000円以上の売上データのみが表示されます。

何度も使う「動き」をまとめる

 このレッスンでは、「関数」について見ていくぞ

 関数？

 関数はプログラム上で、
ある動作を1つにまとめたもののことじゃ

 動作を1つにまとめると、なにか楽なんですか？

 たとえば、君の飲食店のA店の売上データとB店の売上データの
それぞれの合計額が知りたい時、君ならどうする？

 それぞれの店舗の売上データを足して合計額を出します

 そうじゃな。その時に売上データの足し算をするプログラムを
それぞれの店舗ごとに書くかの？

うーん。2店舗くらいなら書けると思いますけど、**100店舗ぐらい多くなると面倒かな**

じゃろ？　じゃから、**あらかじめ足し算だけをしてくれる関数を準備しておくんじゃ！**

なるほど！　…？

想像しづらいかもしれんの
実際に書いてみるのじゃ！

関数の基礎的な書き方

まずは簡単な例で、関数の作り方を見てみましょう。

▶ 関数を作る書き方

```
def 関数名():
□□□□関数の中でおこなう処理
```
→ 行頭にインデントを入れる

 コード例

```
def show_sum() :
□□□□print(1 + 1)
```
→ 行頭にインデントを入れる

show_sumという関数名の関数を作成して、1+1の合計を表示する関数を作成しています。

メモ

　変数名と同じように、Pythonの関数名には「数字から始まる名前は使えない」「半角英数字（0〜9, a-z）とアンダースコア(_)のみが使える」などの制約があります。その制約に違反しない範囲で自由に決められます。

▌関数を呼び出す書き方

関数名()

入力コード

📄 ファイル名「f1.py」

```
def show_sum() :
    print(1 + 1)

show_sum()
```

関数show_sumを呼び出す

```
🖹 f1.py - C:¥Users¥csakamoto¥Desktop¥サンプルフォ

File  Edit  Format  Run  Options  Window  Help

def show_sum() :
    print(1 + 1)

show_sum ()
```

実行結果

2

```
IDLE Shell 3.9.1                                        ─    □

File  Edit  Shell  Debug  Options  Window  Help
Python 3.9.1 (tags/v3.9.1:1e5d33e, Dec  7 2020, 17:08:21) [MSC v.1927 64 bit
D64)] on win32
Type "help", "copyright", "credits" or "license()" for more information.
>>>
=============== RESTART: C:¥Users¥Owner¥Downloads¥f1.py ================
2
>>> |
```

Pythonに限らずプログラミング言語には、「予約語」と呼ばれる文字列があります。予約語の中にはこれまでに学習したifやforなどの文字列がありますが、この予約語を変数や関数の名前として付けてしまうとエラーになってしまうので注意しましょう。

引数を使って関数にデータを渡す

関数の()の中に指定するデータのことを引数と呼びます。

これまで見てきたように、データを画面に表示する時にはprint()を使いましたね。print()もPythonがあらかじめ用意している関数のうちの1つです。print()の()の中に指定した文字列や数字のデータも引数です。

関数は、この「引数」を使ってデータを渡すことができます。

▶ 引数を渡す関数の書き方

```
def 関数名(引数1, 引数2, ……) :
□□□□関数の中でおこなう処理
```
　　　　　　　　　　　　　　　　　行頭にインデントを入れる

たとえば、売上データを合計する関数を作成して、その関数に店舗ごとの売上データを渡すことを考えてみましょう。

売上データを合計する関数の例

```
def sum_sales(salesList) :
□□□□total = 0
□□□□for i in salesList :
□□□□□□□□total = total + i
□□□□print(total)
```
　　　　　　　　　　　　　　　最後にtotalを表示したいので、for文の
　　　　　　　　　　　　　　　中の処理とは別のブロックを作成する

sum_salesという名前の関数を作成し、引数にはsalesListという文字列を設定しています。この引数は関数の中で使うために決めるものなので、salesList以外の文字列や数字でもかまいません。

関数の中ではfor文を使って、売上データを足していきます。

変数totalの中には、最終的に売上データの合計額が入ります。

3

プログラムの基本の動きを扱う

では次に、2つの店舗の売上データのリストを作成しましょう。

 **店舗1の売上データ**

```
sales1 = [1000, 2000, 5500, 3000, 900, 1500, 6000, 2500, 5000]
```

 店舗2の売上データ

```
sales2 = [1500, 3000, 7000, 1000, 2000, 5000]
```

店舗1の売上データをsales1というリストに、店舗2の売上データをsales2というリストにまとめました。

店舗1と店舗2の売上データを、作成したsum_sales()関数に渡して実行しましょう。

入力コード　　　　　　　　　　　　　　　　　　　📄 ファイル名「f2.py」

```
sales1 = [1000, 2000, 5500, 3000, 900, 1500, 6000, 2500, 5000]
sales2 = [1500, 3000, 7000, 1000, 2000, 5000]
def sum_sales(salesList) :
□□□□total = 0
□□□□for i in salesList :
□□□□□□□□total = total + i
□□□□print(total, "円")

print("店舗1の売上合計額を表示")
sum_sales(sales1)

print("店舗2の売上合計額を表示")
sum_sales(sales2)
```

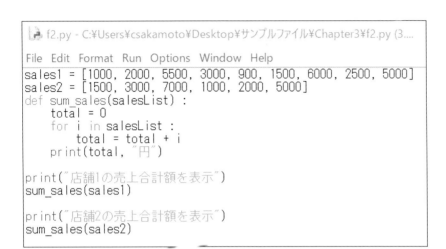

```
f2.py - C:¥Users¥csakamoto¥Desktop¥サンプルファイル¥Chapter3¥f2.py (3....

File  Edit  Format  Run  Options  Window  Help
sales1 = [1000, 2000, 5500, 3000, 900, 1500, 6000, 2500, 5000]
sales2 = [1500, 3000, 7000, 1000, 2000, 5000]
def sum_sales(salesList) :
    total = 0
    for i in salesList :
        total = total + i
    print(total, "円")

print("店舗1の売上合計額を表示")
sum_sales(sales1)

print("店舗2の売上合計額を表示")
sum_sales(sales2)
```

 実行結果

店舗1の売上合計額を表示

27400 円

店舗2の売上合計額を表示

19500 円

```
IDLE Shell 3.9.1                                              —    □

File  Edit  Shell  Debug  Options  Window  Help
Python 3.9.1 (tags/v3.9.1:1e5d33e, Dec  7 2020, 17:08:21) [MSC v.1927 64 bit
D64)] on win32
Type "help", "copyright", "credits" or "license()" for more information.
>>>
==================== RESTART: C:¥Users¥Owner¥Downloads¥f2.py ================
店舗1の売上合計額を表示
27400 円
店舗2の売上合計額を表示
19500 円
>>> |
```

そうか！最初に足し算だけをしてくれる関数を作ってしまえば、店舗数が増えても売上データを渡すだけで、あとは勝手に計算してくれるんだ！
「関数」って便利ですね！

その通り！
同じ処理を何度も使うのであれば関数にまとめてしまうんじゃ

3-05

他の人が作った
プログラムを使う

▶ 動画一覧ページ
迷ったら動画で確認！

https://movie.sbcr.jp/dkzp/
c03/s01/

Pythonでは他の人が作ったプログラムを使うこともできるぞ

他の人が作ったプログラム？　どういうことですか？

たとえば売上を合計するプログラムが欲しい時じゃ

はい

すでに誰かが作っていたとしたらどうじゃ？

自分で作らずに「そのプログラムを使わせてください！」って頼みます！

そうじゃろ！　そんな誰かがすでに用意しているプログラムを
「ライブラリ」と呼ぶんじゃが…

3

プログラムの基本の動きを扱う

ってことは自分が欲しいプログラムは、自分で作らずに誰かが作ったライブラリを探してみればいいってこと？

そうじゃな。もしかしたら君が欲しいプログラムはすでに誰かが作っておるかもしれんからのう

すごい！Pythonの世界ってとても便利なんですね！

そうじゃな。先輩たちに感謝じゃな！

Pythonには標準でもたくさんのライブラリが用意されています。いくつか代表的なライブラリを読み込んでみましょう。

ライブラリの基本的な使い方

ライブラリを使用するにはまず「ライブラリの読み込み」をおこないます。 書き方は以下の通りです。

▶ ライブラリの読み込みの書き方

```
import ライブラリ名
```

それでは実際にライブラリを読み込んで、使ってみましょう。Pythonに標準で準備されているライブラリの、randomライブラリを読み込んで、0から10の間の整数のうちの1つをランダムに表示してみます。

入力コード

📄 ファイル名「lib1.py」

```python
import random

random_number = random.randrange(10)
print(random_number)
```

```
🐍 lib1.py - C:¥Users¥csakamoto¥Desktop¥サンプル

File  Edit  Format  Run  Options  Window  Help
import random

random_number = random.randrange(10)
print(random_number)
```

実行結果

4(※乱数なので結果は実行するたびに変わります)

```
🐍 IDLE Shell 3.9.1                              —    □

File  Edit  Shell  Debug  Options  Window  Help
Python 3.9.1 (tags/v3.9.1:1e5d33e, Dec  7 2020, 17:08:21) [MSC v.1927 64 bit
D64)] on win32
Type "help", "copyright", "credits" or "license()" for more information.
>>>
=================== RESTART: C:¥Users¥Owner¥Downloads¥lib1.py ===============
4
>>>
```

　randrange()は、randomライブラリの中に用意されている「指定した範囲内の整数」を呼び出す関数です。**このように、ライブラリに含まれている関数を使う時には、ライブラリ名の後にドット(.)を付け、その後に関数名を書きます。**

▶ ライブラリに含まれている関数を使う時の書き方

　ライブラリ名.関数名

datetimeライブラリを使う

もう1つPython の標準ライブラリを使ったプログラムを見てみましょう。**datetime ライブラリを利用して、今日の日付を表示してみます。**

入力コード　　　　　　　　　　　　　　　　　　　　　　　ファイル名「lib2.py」

```
import datetime

print(datetime.date.today())
```

```
lib2.py - C:¥Users¥csakamoto¥Desktop¥サンプル

File  Edit  Format  Run  Options  Window  Help
import datetime

print(datetime.date.today())
```

2021-01-29（※実行した日が表示されます）

```
IDLE Shell 3.9.1                                        ─   □
File  Edit  Shell  Debug  Options  Window  Help
Python 3.9.1 (tags/v3.9.1:1e5d33e, Dec  7 2020, 17:08:21) [MSC v.1927 64 bit
D64)] on win32
Type "help", "copyright", "credits" or "license()" for more information.
>>>
================== RESTART: C:¥Users¥Owner¥Downloads¥lib2.py ==============
2021-01-29
>>> |
```

datetime ライブラリの中のdateクラスの中にあるtoday()関数を使って今日の日付を表示しています。「クラス」という考え方は今は難しいので、「datetime ライブラリの中の

today()関数を使っている」と理解してください。

第5章ではライブラリを使って人工知能アプリを作っていくぞい
ライブラリの使い方はしっかり理解しておくのじゃ！

ついに人工知能か！　IT って感じだ！

第4章

音声テキスト化アプリを作る

ぱいそん道場

ついにアプリを作るんですね！ 音声をテキスト化できるなんてすごいけど難しくないのかな？

ふっふ。第3章で学んだ「ライブラリ」を利用するから簡単にできてしまうんじゃ！

この章で学べること

動画から音声を抜き出してテキスト化するぞい

今回使用する動画は特典のサンプル動画じゃが、スマホで撮った動画でもいいじゃろう

そんなことができるんですね！　楽しみです！

◉ 動画から音声を抜き出す
◉ 音声をテキストに書き出す

4-01

▶ 動画一覧ページ
迷ったら動画で確認！
https://movie.sbcr.jp/dkzp/c04/s01/

動画から音声を抜き出す

ここからは実際に動くアプリを作ってみるぞ

やったー！　どんなアプリですか？

**動画から音声を抜き出して
テキストに書き出すアプリじゃ**

えっ！？　すごく難しそう

心配はいらん！
動画から音声を抜き出すのもテキストに書き出すのも
ライブラリを使えば一発じゃ

そうなんですね。よかった〜

ライブラリを作ってくれた先輩たちに感謝じゃのう

ライブラリ「MoviePy」のインストール

　はじめに動画から音声を抜き出すために必要なライブラリを確認しましょう。**動画から音声を抜き出すためには、「MoviePy」ライブラリを使います。**

　本書では説明していないより詳しいライブラリの使い方はWebドキュメントを参考にしましょう。

「**MoviePy**」　URL https://zulko.github.io/moviepy/

> Webドキュメントは「ライブラリ名 documentation」などの
> キーワードでGoogle検索などで探すことができるぞい

　Pythonにはじめから含まれていないライブラリは「外部ライブラリ」といいます。標準ライブラリと違い、手動でPython にインストールする必要があります。Windows、Macそれぞれのインストールの方法を説明します。

✳ パソコンがWindowsの場合 ⊞

> **1** スタートメニューからフォルダ「Windowsシステムツール」の中の「コマンドプロンプト」をクリック

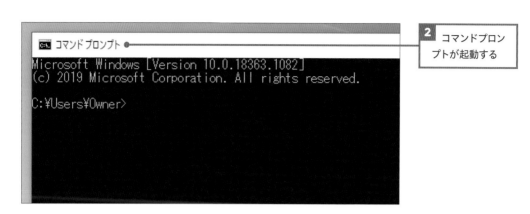

2 コマンドプロン
プトが起動する

3 「pip install
moviepy」と入
力してEnterキー
を押下

4 Successfully installed と表示されmoviepy という項目が含まれていれば
正しくインストールできている

```
Collecting numpy>=1.17.3
  Using cached numpy-1.19.5-cp39-cp39-win_amd64.whl (13.3 MB)
Collecting imageio<3.0,>=2.5
  Using cached imageio-2.9.0-py3-none-any.whl (3.3 MB)
Collecting imageio_ffmpeg>=0.2.0
  Using cached imageio_ffmpeg-0.4.3-py3-none-win_amd64.whl (22.6 MB)
Collecting pillow
  Using cached Pillow-8.1.0-cp39-cp39-win_amd64.whl (2.2 MB)
Collecting urllib3<1.27,>=1.21.1
  Using cached urllib3-1.26.3-py2.py3-none-any.whl (137 kB)
Collecting idna<3,>=2.5
  Using cached idna-2.10-py2.py3-none-any.whl (58 kB)
Collecting certifi>=2017.4.17
  Using cached certifi-2020.12.5-py2.py3-none-any.whl (147 kB)
Collecting chardet<5,>=3.0.2
  Using cached chardet-4.0.0-py2.py3-none-any.whl (178 kB)
Using legacy 'setup.py install' for moviepy, since package 'wheel' is not installed.
Using legacy 'setup.py install' for proglog, since package 'wheel' is not installed.
Installing collected packages: urllib3, tqdm, pillow, numpy, idna, chardet, certifi, requests, proglog, imageio-ffmpeg,
imageio, decorator, moviepy
    Running setup.py install for proglog ... done
    Running setup.py install for moviepy ... done
Successfully installed certifi-2020.12.5 chardet-4.0.0 decorator-4.4.2 idna-2.10 imageio-2.9.0 imageio-ffmpeg-0.4.3 movi
epy-1.0.3 numpy-1.19.5 pillow-8.1.0 proglog-0.1.9 requests-2.25.1 tqdm-4.56.0 urllib3-1.26.3

C:\Users\Owner>
```

パソコンがMac OSの場合

1 Finderを起動して「アプリケーション」の「ユーティリティ」をクリック

2 「ユーティリティ」の中にある「ターミナル」をクリック

```
Last login: Wed Dec 23 20:28:52 on ttys000
You have mail.
Tatsuhiko-no-MacBook-Pro:~ TatsuaAkashi$
```

3 ターミナルが起動する

音声テキスト化アプリを作る

4

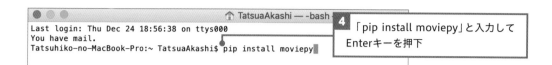

```
                                 ⌂ TatsuaAkashi — -bash
Last login: Thu Dec 24 18:56:38 on ttys000
You have mail.
Tatsuhiko-no-MacBook-Pro:~ TatsuaAkashi$ pip install moviepy
```

> **4** 「pip install moviepy」と入力して
> Enterキーを押下

> **5** Successfully installed と表示されmoviepy という項目が含まれていれば正しくインストールできて
> いる

```
                                 ⌂ TatsuaAkashi — -bash — 112×34
_x86_64.whl (22.5 MB)
     |████████████████████████████| 22.5 MB 530 kB/s
Collecting proglog<=1.0.0
  Downloading proglog-0.1.9.tar.gz (10 kB)
Requirement already satisfied: chardet<5,>=3.0.2 in /Library/Frameworks/Python.framework/Versions/3.9/lib/python
3.9/site-packages (from requests<3.0,>=2.8.1->moviepy) (4.0.0)
Requirement already satisfied: certifi>=2017.4.17 in /Library/Frameworks/Python.framework/Versions/3.9/lib/pytho
n3.9/site-packages (from requests<3.0,>=2.8.1->moviepy) (2020.12.5)
Requirement already satisfied: idna<3,>=2.5 in /Library/Frameworks/Python.framework/Versions/3.9/lib/python3.9/s
ite-packages (from requests<3.0,>=2.8.1->moviepy) (2.10)
Requirement already satisfied: urllib3<1.27,>=1.21.1 in /Library/Frameworks/Python.framework/Versions/3.9/lib/py
thon3.9/site-packages (from requests<3.0,>=2.8.1->moviepy) (1.26.2)
Collecting tqdm<5.0,>=4.11.2
  Downloading tqdm-4.54.1-py2.py3-none-any.whl (69 kB)
     |████████████████████████████| 69 kB 946 kB/s
Collecting numpy>=1.17.3
  Downloading numpy-1.19.4-cp39-cp39-macosx_10_9_x86_64.whl (15.4 MB)
     |████████████████████████████| 15.4 MB 231 kB/s
Building wheels for collected packages: moviepy, proglog
  Building wheel for moviepy (setup.py) ... done
  Created wheel for moviepy: filename=moviepy-1.0.3-py3-none-any.whl size=110726 sha256=a6fa674f6b5be607882703ee
388f363ddb8a94b20ac5c71404896f82ad510135
  Stored in directory: /Users/TatsuaAkashi/Library/Caches/pip/wheels/29/15/e4/4f790bec6acd51a00b67e8ee1394f0bc6e
0135c315f8ff399a
  Building wheel for proglog (setup.py) ... done
  Created wheel for proglog: filename=proglog-0.1.9-py3-none-any.whl size=6147 sha256=ea8eafbd2dba75c361b5596f41
f9bd69bf4fd91c984ced25ceae09975b63530f
  Stored in directory: /Users/TatsuaAkashi/Library/Caches/pip/wheels/3d/49/90/711d235502d9604147607f29cacf992788
8246cae65313d95
Successfully built moviepy proglog
Installing collected packages: tqdm, numpy, proglog, imageio-ffmpeg, imageio, decorator, moviepy
Successfully installed decorator-4.4.2 imageio-2.9.0 imageio-ffmpeg-0.4.2 moviepy-1.0.3 numpy-1.19.4 proglog-0.1
.9 tqdm-4.54.1
Tatsuhiko-no-MacBook-Pro:~ TatsuaAkashi$
```

> ⚠ 1つのライブラリをインストールすると、同時に別のライブラリもインストールされることがあり
> ます。インストールするライブラリを動かすのに別のライブラリが必要になるためです。覚えのないライブ
> ラリがインストールされているからといって消してしまわないようにしましょう。

> 不用意にファイルは
> 消しちゃいけないんだな

pipコマンド（命令）は、外部ライブラリを管理するためのコマンドです。pip を使うことで外部ライブラリをインストールしたり、アンインストール（削除）したりできます。Pythonのインストールと同時にpipもインストールされるので、あらためてインストールすることなく、すぐに使えます。

動画ファイルを用意する

次に、音声を抜き出すための動画を用意しましょう。長すぎる動画は処理が重くなったり、途中で処理が止まってしまったりすることもあるので、30秒〜1分ほどの短い動画がおすすめです。

本書ではサンプル動画を用意しています。ダウンロードの詳細はP.13で説明しているのでそちらを参考にダウンロードしてください。

動画はわかりやすい場所に保存します。ここでは、デスクトップに保存しておきましょう。

Windowsの場合

Mac OSの場合

MoviePyで動画から音声を抜き出す

いよいよ、MoviePy を使って動画から音声を抜き出してみましょう。
IDLEでファイルを新しく作成し、次ページのコードを書いてください。

 入力コード

```
# MoviPy ライブラリを使う準備
import moviepy.editor as mp
# 動画ファイルを加工する準備
clip = mp.VideoFileClip("movie.mp4")
# 動画から音声を抜き出して音声ファイルを保存
clip.audio.write_audiofile("audio.wav")
```

　具体的な説明ですが、**4行目の「movie.mp4」は自分で保存した動画ファイルの名前に合わせて変更してください。**

　6行目のaudio.wavは、出力したい音声ファイルの名前です。名前は自由に決めてかまいません。「.wav」は音声ファイルの拡張子です。**ファイルの形式は必ず.wav で保存するようにしてください。**

　プログラムを記述したPythonのファイルは、名前を付けて「movie.mp4」と同じ場所（デスクトップ）に保存します。ここでは「movie_audio.py」として保存しています。

Windowsの場合

Mac OSの場合

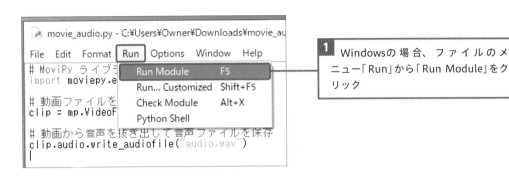

1 Windowsの場合、ファイルのメニュー「Run」から「Run Module」をクリック

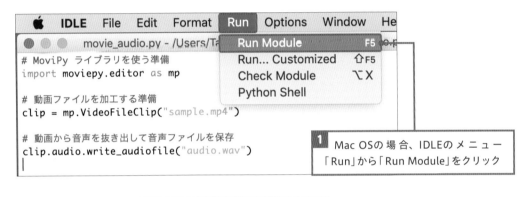

1 Mac OSの場合、IDLEのメニュー「Run」から「Run Module」をクリック

2 プログラムが実行される（左下：Windows、右下：Mac OS）

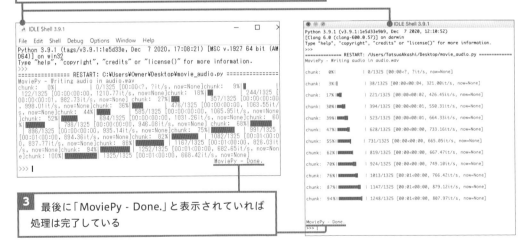

3 最後に「MoviePy - Done.」と表示されていれば処理は完了している

最後に「MoviePy - Done.」と表示されれば、処理が完了しています。

　再生時間が長い動画の場合などには、「MoviePy - Done」と表示されずに処理が途中で止まってしまうこともあります。その場合には再度プログラムを実行しなおしましょう。次に、処理が完了したことを確認しましょう。**音声ファイルの「audio.wav」がデスクトップに保存されていれば成功です。**

Windowsの場合

Mac OSの場合

プログラムの中身を理解する

　MoviePyライブラリを使った、動画から音声を抜き出すプログラムファイル「movie_audio.py」の中身を見てみましょう。

　動画から音声を抜き出す処理をするプログラムそのものは、MoviePyライブラリの中に書かれているので本書ではざっくりとした説明になります。

　ライブラリのプログラムは、githubという「プログラムの公開・共有サイト」に公開されています。今の時点ではプログラムを理解することは難しいかもしれませんが、興味のある方は一度見てみてください。

「Zulko/moviepy」　URL https://github.com/Zulko/moviepy

　ここでは、movie_audio.py内に書いたプログラムの内容を見てみましょう。

 📄ファイル名「movie_audio.py」1 〜 2行目

```
# MoviPy ライブラリを使う準備
import moviepy.editor as mp
```

2行目の「import 〜 as 〜」は、importで読み込んだライブラリ「moviepy」という名前に「mp」という**省略名を付けています。**ライブラリ名が長い場合、省略名を付けることでプログラムを短く書けます。

 コード例

```
import moviepy.editor
clip = moviepy.editor.VideoFileClip("movie.mp4")
```

上の行は省略名を設定していないので、コードが冗長になってしまっています。

 コード例

```
import moviepy.editor as mp
clip = mp.VideoFileClip("movie.mp4")  ●ーーー 名前を省略できる
```

省略名を使った場合、上記コード例の2行目のようにライブラリ名をmoviepy.editorではなくmpと書けます。

 入力コード 📄ファイル名「movie_audio.py」3 〜 4行目

```
# 動画ファイルを加工する準備
clip = mp.VideoFileClip("samle.mp4")
```

4行目では、MoviePyライブラリの中のVideoFileClip()というクラス（関数のようなものと仮に考えてください）を使って、**movie.mp4ファイルを加工する準備をしています。**

ここで、ライブラリ内のクラスをプログラムファイル内で使えるように変数clipに入れ直したクラスのことを「インスタンス」と呼びます。

ライブラリの中のクラスは、関数と同じようにライブラリ名.クラス名で使うことができるので、mp.VideoFileClip()でMoviePyライブラリの中のVideoFileClip()クラスを呼び出すことができます。

ファイル名「movie_audio.py」5 ~ 6行目

```
#  動画から音声を抜き出して音声ファイルを保存
clip.audio.write_audiofile("audio.wav")
```

6行目ではclipインスタンスの中にあるwrite_audiofile()関数を使って「audio.wav」を
Pythonのプログラムファイルと同じ場所（デスクトップ）に書き出しています。保存するフォ
ルダを指定する場合には、**「フォルダ名/audio.wav」**のように記述します。

 コラム　インスタンスとクラスについて

プログラミングをはじめたばかりだとインスタンスやクラスを理解するのは難しいので、今必要な
ければこのコラムは読み飛ばしても構いません。

インスタンスとは、関数（第3章で学びましたね）のように内部でいろんな処理ができる「クラス」と
いう仕組みをプログラム上で使えるようにしたものです。

クラスとは「ある処理をする1つのまとまり」の動きや状態を定めた、「設計図」のようなものです。
あくまで「設計図」なので、クラスそのものはそのままでは使えません。

そこで、その設計図（クラス）をもとに、実際にプログラミング上で使えるように実体にあらわした
ものを「インスタンス」と呼ぶのです。家具の設計図をもとに、実際に使用する家具を作るイメージで
しょうか。

またインスタンスは、同じクラス（設計図）をもとに複数作ることができます。さらに、同じ設計図
から生み出された複数のインスタンスでも、それぞれ別のデータを使って処理をすることができます。
同じ設計図から作られた家具でも、使う人によって色を塗ったり、加工したりして使い方を変えられ
ることと同じです。

クラスは関数とよく似ていますが、クラスは内部でデータの値を持ち続けることができる一方で、
関数はデータを持ち続けることができないという特長があります。

私の郷里に近い九州の福岡には「むっちゃん万十」というソウルフードがありますが、むっちゃん万
十は外側の形はすべて魚の「ムツゴロウ」なのですが、中身は「ハムエッグ」や「ウィンナー」「ツナサラ
ダ」など数種類のメニューから選ぶことができます。

例えが分かりづらいかもしれませんが、むっちゃん万十でいえばムツゴロウの外観のような「共通
の設計（クラス）」を定めた上で、それぞれの実体（インスタンス）には「ハムエッグ」や「ウィンナー」な
ど別の中身（データ）を持たせ、その状態のまま個別に処理をおこなえる点がクラスを使用するメリッ
トの1つとも言えます。

音声をテキストに書き出す

▶ 動画一覧ページ

迷ったら動画で確認！

https://movie.sbcr.jp/dkzp/
c04/s02/

音声ファイルは保存できたかの？

はい！ほんの少しのプログラムを書くだけでこんなことができるなんてライブラリってすごいですね！

ライブラリを使えばプログラミングに時間を取られることなく提供するサービスの検討などに集中できるぞい

音声ファイルを保存したら次はなにをやるんですか？

次は保存した音声ファイルをテキストに書き出すんじゃ

今度こそ難しいのでは！？

ほっほ
今回も数行のプログラムを書くだけじゃ

音声テキスト化アプリを作る

4

111

ほっ。よかった～

次の章では難しいことにチャレンジするから安心してよいぞ

そんな～！

ライブラリ「SpeechRecognition」のインストール

　音声ファイルからテキストを書き出すためには、「SpeechRecognition」ライブラリを使います。

「公式サイト」 URL https://pypi.org/project/SpeechRecognition/

 パソコンがWindowsの場合

```
コマンド プロンプト
Microsoft Windows [Version 10.0.18363.1082]
(c) 2019 Microsoft Corporation. All rights reserved.

C:¥Users¥Owner>pip install SpeechRecognition
```

1 P.101を参考にコマンドプロンプトを起動

2 「pip install SpeechRecognition」と入力してEnterキーを押下

3 Successfully installed SpeechRecognitionと表示されていれば正しくインストールできている

```
コマンド プロンプト
Microsoft Windows [Version 10.0.18363.1082]
(c) 2019 Microsoft Corporation. All rights reserved.

C:¥Users¥Owner>pip install SpeechRecognition
Collecting SpeechRecognition
  Downloading SpeechRecognition-3.8.1-py2.py3-none-any.whl (32.8 MB)
                                      | 32.8 MB 38 kB/s
Installing collected packages: SpeechRecognition
Successfully installed SpeechRecognition-3.8.1

C:¥Users¥Owner>
```

 パソコンがMac OSの場合

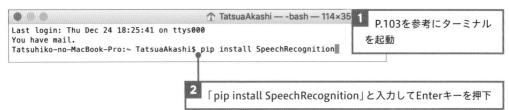

1 P.103を参考にターミナル を起動

2 「pip install SpeechRecognition」と入力してEnterキーを押下

3 Successfully installed SpeechRecognitionと表示されていれば正しくインストールできている

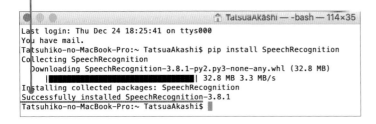

音声をテキストに書き出す

ライブラリ「SpeechRecognition」を使って音声ファイルからテキストを書き出しましょう。IDLEでファイルを新しく作成し、以下のプログラムを書いて実行してください。**今までと比べると長いコードなので、落ち着いてゆっくりと書いてみてください。**

入力コード　　　　　　　　　　　　　　　　　　ファイル名「write_sound.py」

```python
# SpeechRecognition ライブラリを使う準備
import speech_recognition as sr

# 音声ファイルを加工する準備
r = sr.Recognizer()

# 音声ファイルを開く
with sr.AudioFile("audio.wav") as source:
    # 音声ファイルから音声データを抜き出す
    audio = r.record(source)
```

音声テキスト化アプリを作る

4

```
print ("音声をテキストに変換しています。しばらくお待ちください。")

try:
␣␣␣␣# 抜き出した音声データをテキストデータに変換してresultに入れる
␣␣␣␣result = r.recognize_google(audio, language='ja-JP')
␣␣␣␣print ("変換が完了しました。")
␣␣␣␣print ("結果: ")
␣␣␣␣print("『" + result + "』")
except sr.RequestError:
␣␣␣␣print("リクエストエラーが発生しました。\n処理を終了します。")
except sr.UnknownValueError:
␣␣␣␣print("正しく読み込みができませんでした。\n別の動画を試してください。")
```

　8行目の「audio.wav」は、前のレッスンで保存した、音声ファイルの名前に合わせて変更してください。

　下に実際にコードを入力したファイルを掲載しています。

⚠ ＼（バックスラッシュ）はWindowsでは「￥」キーを入力、Mac OSでは「option」＋「￥」で入力できます。

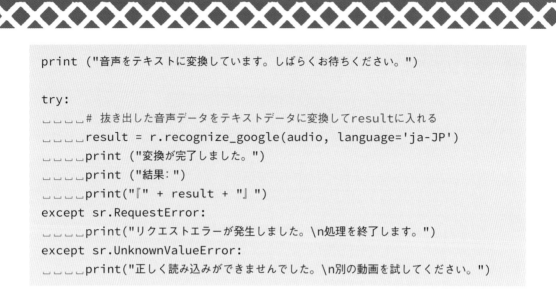

```
# SpeechRecognition ライブラリを使う準備
import speech_recognition as sr

# 音声ファイルを加工する準備
r = sr.Recognizer()

# 音声ファイルを開く
with sr.AudioFile("audio.wav") as source:
        # 音声ファイルから音声データを抜き出す
        audio = r.record(source)

print ("音声をテキストに変換しています。しばらくお待ちください。")

try:
        # 抜き出した音声データをテキストデータに変換してresultに入れる
        result = r.recognize_google(audio, language="ja-JP")
        print ("変換が完了しました。")
        print ("結果：")
        print(" 『" + result + "』")
except sr.RequestError:
        print("リクエストエラーが発生しました。¥n処理を終了します。")
except sr.UnknownValueError:
        print("正しく読み込みができませんでした。¥n別の動画を試してください。")
|
```

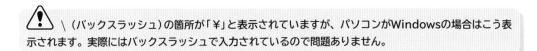

⚠ ＼（バックスラッシュ）の箇所が「¥」と表示されていますが、パソコンがWindowsの場合はこう表示されます。実際にはバックスラッシュで入力されているので問題ありません。

　プログラムを記述したPythonファイルは、名前を付けて「audio.wav」と同じ場所（デスクトップ）に保存します。ここでは「write_sound.py」という名前で保存しています。

Windowsの場合

Mac OSの場合

　このプログラムでは、「with文」と「try except文」を新しく使っています。
　「with文」を使うと、本来別々に処理をする「ファイルを開く作業と、ファイルを閉じる作業」を1つの命令文だけでおこなえます。
　「try except文」は「例外処理」と呼ばれ、プログラム内で発生したエラーを処理するためのしくみです。（P.118で詳しく説明しています）

　それでは、作成したファイルを実行しましょう。

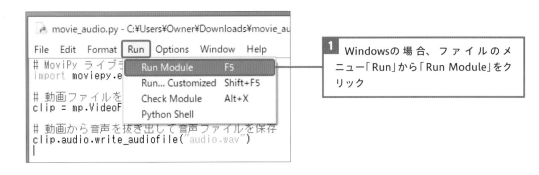

1　Windowsの場合、ファイルのメニュー「Run」から「Run Module」をクリック

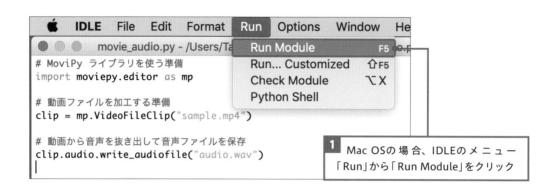

```
# MoviPy ライブラリを使う準備
import moviepy.editor as mp

# 動画ファイルを加工する準備
clip = mp.VideoFileClip("sample.mp4")

# 動画から音声を抜き出して音声ファイルを保存
clip.audio.write_audiofile("audio.wav")
```

1 Mac OSの場合、IDLEのメニュー「Run」から「Run Module」をクリック

2 プログラムが実行される（左下：Windows、右下：Mac OS）

　　結果が表示されるまで少し時間がかかります。正しく処理が完了すると、以下のようにテキストが表示されます。

Windowsの場合

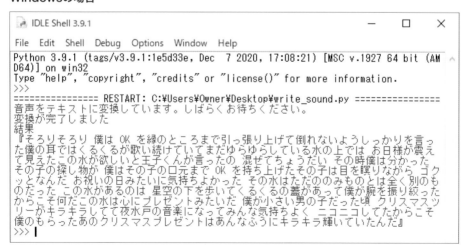

Mac OSの場合

```
●●●                    IDLE Shell 3.9.2
Python 3.9.2 (v3.9.2:1a79785e3e, Feb 19 2021, 09:06:10)
[Clang 6.0 (clang-600.0.57)] on darwin
Type "help", "copyright", "credits" or "license()" for more information.
>>>
============== RESTART: /Users/TatsuaAkashi/Desktop/write_sound.py ==============
音声をテキストに変換しています。しばらくお待ちください。
変換が完了しました
結果
『そろりそろり  僕は  OK  を縁のところまで引っ張り上げて倒れないようしっかりを言った僕の耳ではくるく
るが歌い続けていてまだゆらゆらしている水の上では  お日様が震えて見えたこの水が欲しいと王子くんが言
ったの  混ぜてちょうだい  その時僕は分かった  その子の探し物が  僕はその子の口元まで  OK  を持ち上げた
その子は目を瞑りながら  ゴクッとなんだ  お祝いの日みたいに気持ちよかった  その水はただののみものとは
全く別のものだった  この水があるのは  星空の下を歩いてくるくるの蓋があって僕が腕を振り絞ったからこそ
何だこの水は心にプレゼントみたいだ  僕が小さい男の子だった頃  クリスマスツリーがキラキラしてて夜水戸
の音楽になってみんな気持ちよく  ニコニコしてたからこそ僕のもらったあのクリスマスプレゼントはあんな
ふっにキラキラ輝いていたんだ』
>>>
```

変換処理をしている途中でエラーが発生した時には、下図のようにエラー発生時の処理が表示されます。

Windowsの場合

```
IDLE Shell 3.9.1                                    —    □    ×

File  Edit  Shell  Debug  Options  Window  Help
Python 3.9.1 (tags/v3.9.1:1e5d33e, Dec  7 2020, 17:08:21) [MSC v.1927 64 bit (AM
D64)] on win32
Type "help", "copyright", "credits" or "license()" for more information.
>>>
================ RESTART: C:¥Users¥Owner¥Desktop¥write_sound.py ================
音声をテキストに変換しています。しばらくお待ちください。
正しく読み込みができませんでした。
別の動画を試してください。
>>> |
```

Mac OSの場合

```
●●●                    IDLE Shell 3.9.1
Python 3.9.1 (v3.9.1:1e5d33e9b9, Dec  7 2020, 12:10:52)
[Clang 6.0 (clang-600.0.57)] on darwin
Type "help", "copyright", "credits" or "license()" for more information.
>>>
============== RESTART: /Users/TatsuaAkashi/Desktop/write_sound.py ==============
音声をテキストに変換しています。しばらくお待ちください。
正しく読み込みができませんでした。
別の動画を試してください。
>>> |
```

音声テキスト化アプリを作る

117

「try except文」はエラーを処理するしくみ

「try except文」は「例外」を「処理」する時に使います。例外処理とは簡単に言うと、「発生する可能性のあるエラーを予測して処理をすること」です。

たとえばもし、動画から音声に変換する処理の中で例外処理をしなかった場合、下のようにエラーが発生してプログラムが停止してしまいます。ユーザーにとっても、何が原因でエラーが起こったのかわかりづらいですね。

```
IDLE Shell 3.9.1                                              —    □    ×

File  Edit  Shell  Debug  Options  Window  Help
Python 3.9.1 (tags/v3.9.1:1e5d33e, Dec  7 2020, 17:08:21) [MSC v.1927 64 bit (AM
D64)] on win32
Type "help", "copyright", "credits" or "license()" for more information.
>>>
================ RESTART: C:¥Users¥Owner¥Desktop¥write_sound.py ================
音声をテキストに変換しています。しばらくお待ちください。
Traceback (most recent call last):
  File "C:¥Users¥Owner¥Desktop¥write_sound.py", line 10, in <module>
    result = r.recognize_google(audio, language='ja-JP')
  File "C:¥Users¥Owner¥AppData¥Local¥Programs¥Python¥Python39¥lib¥site-packages¥
speech_recognition¥__init__.py", line 858, in recognize_google
    if not isinstance(actual_result, dict) or len(actual_result.get("alternative
", [])) == 0: raise UnknownValueError()
speech_recognition.UnknownValueError
>>>
```

そこで、エラーが発生することを予測して例外処理を書いておけば、プログラムを止めることなく、ユーザーに次の行動をお願いすることもできます。（下の画像を参照）

```
IDLE Shell 3.9.1                                              —    □    ×

File  Edit  Shell  Debug  Options  Window  Help
Python 3.9.1 (tags/v3.9.1:1e5d33e, Dec  7 2020, 17:08:21) [MSC v.1927 64 bit (AM
D64)] on win32
Type "help", "copyright", "credits" or "license()" for more information.
>>>
================ RESTART: C:¥Users¥Owner¥Desktop¥write_sound.py ================
音声をテキストに変換しています。しばらくお待ちください。
正しく読み込みができませんでした。
別の動画を試してください。
>>>
```

どのようなエラーが発生するかを事前に予測して例外処理を書くことで、エラーが出てプログラムが止まってしまうリスクを抑えることができるのです。

プログラムの中身を理解する

「SpeechRecognition」ライブラリを使った、音声をテキストに書き出すプログラムファイル「write_sound.py」の中身を見てみましょう。

音声をテキストで返すプログラムそのものは、「SpeechRecognition」ライブラリの中に書かれているので本書ではざっくりとした説明になります。

「Uberi/speech_recognition」　 https://github.com/Uberi/speech_recognition

「write_sound.py」に書いたプログラムの内容を確認していきましょう。

 入力コード　　　　　　　　　　📄 ファイル名「write_sound.py」1〜2行目

```python
# SpeechRecognition ライブラリを使う準備
import speech_recognition as sr
```

まず2行目は、「SpeechRecognition」ライブラリに「sr」という省略名を付けて読み込んでいます。

入力コード　　　　　　　　　　📄 ファイル名「write_sound.py」4〜5行目

```python
# 音声ファイルを加工する準備
r = sr.Recognizer()
```

5行目は、ライブラリ内のRecognizer()クラスを変数「r」に入れてインスタンスを作成しています。音声を加工する準備です。

入力コード　　　　　　　　　　📄 ファイル名「write_sound.py」7〜8行目

```python
# 音声ファイルを開く
with sr.AudioFile("audio.wav") as source:
```

8行目は、ライブラリ内のAudioFileクラスを使って「audio.wav」ファイルを開き、変数「source」の中に入れています。

音声テキスト化アプリを作る

4

ファイル名「write_sound.py」9 ～ 10行目

```
     # 音声ファイルから音声データを抜き出す
     audio = r.record(source)
```

10行目は、ライブラリ内のrecord()関数を使って、変数「source」に入れた音声ファイルから音声データを抜き出して、変数「audio」に入れています。

ファイル名「write_sound.py」15 ～ 16行目

```
     # 抜き出した音声データをテキストデータに変換してresultに入れる
     result = r.recognize_google(audio, language='ja-JP')
```

16行目は、ライブラリ内のrecognize_google()関数を使って、「Google Speech Recognition API」を利用して変数「audio」に入っている音声データを解析し、文字列にした結果を変数「result」に入れています。

Google Speech Recognition APIは、検索エンジン最大手のGoogle社が提供する音声認識サービスです。

現在は個人の使用とテスト環境(実際のサービスとして公開しない環境)で使用する場合に限って使うことができます。

APIの使用にはAPIキーが必要になりますが、SpeechRecognitionライブラリであればAPIキーを指定しなくても解析ができます。

Google社は、有料の音声認識APIであるGoogle Cloud Speech-to-Text APIも公開していますが、今回は無料かつ簡単に使えるGoogle Speech Recognition APIを使用しています。

ファイル名「write_sound.py」20 ～ 21行目

```
except sr.RequestError:
     print("リクエストエラーが発生しました。\n処理を終了します。")
```

20行目の「RequestError」は、サーバーとのやり取りに問題が発生した時に例外が呼ばれるよう設定しています。 問題が発生した場合、21行目に書いた「リクエストエラーが～」とメッセージが表示されます。

入力コード

ファイル名「write_sound.py」22〜23行目

```
except sr.UnknownValueError:
    print("正しく読み込みができませんでした。\n別の動画を試してください。")
```

22行目の「UnknownValueError」は、音声データが解析できない時に例外が呼ばれるよう設定しています。 問題が発生した場合、23行目に書いた「正しく読み込みが〜」とメッセージが表示されます。

 API って何？

APIを簡単に例えると「他の人が作ったサービスやデータの一部を使えるしくみ」です。

たとえば、Yahooが公開しているクチコミ検索API（https://developer.yahoo.co.jp/webapi/map/openlocalplatform/v1/reviewsearch.html）というAPIでは、Yahoo!ロコ（地域情報サービス）で投稿された店舗のクチコミの情報を取得できます。

クチコミ検索APIを使えば、自分はクチコミデータを持っていなくても、Yahoo!が持っているクチコミデータを使うことで、居酒屋さんのクチコミ評価を検索できるサービスを作ったり、位置情報と合わせて、外出時に近くのクチコミ評価の高いレストランを調べたりといったこともできます。

何を命令しているのかざっくりとでもいいから理解するんじゃ

音声テキスト化アプリを作る

4

第5章

人工知能アプリを作る

ようやく人工知能を作れるんですね！ ここまで長かった～！

人工知能について理解するのは難しいが、作る体験をするつもりでやってみるだけでも大きな経験になるぞい！

この章で学べること

「人工知能」とはそもそもなんなのか？　ということをまず学ぶのじゃ！

学んだ後は実際にアプリを作っていくぞい！　画像に猫ちゃんがいるかいないか探す人工知能じゃ！

猫を探す人工知能？なんだか楽しそうだな

- 人工知能ってなに？
- 機械学習ってなに？
- 猫の顔を見つけるアプリを作る

人工知能ってなに？

 いよいよ人工知能を使ったアプリを作っていくぞい

 すごい！人工知能があれば面倒臭い作業は全部
人工知能にやってもらえるんですよね？

 全部と言うと語弊があるのう
今の人工知能では不可能なこともあるんじゃ

 そうなんですか？

 たとえば今の人工知能は意思や思考を持っておらんから
他者の気持ちを察してアドバイスすることは苦手なんじゃ

 なるほど…でも大丈夫！
人工知能が苦手な部分は僕がやればいいんですよね？

 そうじゃ！　人工知能と言っても種類もさまざまじゃから
人工知能にできることとできないことを正しく知って
期待をしすぎないことも大切じゃ

人工知能ってなに？

　人工知能の意味は明確に決まっているわけではありませんが、**あえてシンプルに表現すると「人間のように考えるコンピューター」**と言うことができるかと思います。

　現在では、ユーザーがインターネットで買い物をした時に、興味がありそうな商品を一緒におすすめしたり、人が声で質問をしたらアプリが答えを教えてくれるといったサービスにも利用されています。

人工知能ができること、できないこと

人工知能にもできることとできないことがあります。

　将来的にはできることが増えていくことが考えられますが、現在の人工知能ではできないことがあることも理解しておきましょう。

 人工知能ができること

・たくさんのデータから共通点を見つけること

・単純なくり返しの作業

・画像の中の人の顔や物を見分けること

・人が話す言葉を認識して、書き出したり翻訳したりすること

・正常なデータをもとに異常なデータを発見すること

人工知能ができないこと

・なにもないところから全く新しいものを生み出すこと

・人の気持ちを汲み取って状況を判断すること

　人工知能が人間のように考えられるようになるのはちと先じゃの

機械学習ってなに？

 アプリを作る前に「機械学習」について説明するぞい

 えーまだ解説が続くんですか？

 もう少しの辛抱じゃ
人工知能アプリを作るには機械学習を知っておく必要がある

 わかりました。それで「機械学習」ってなんなんですか？

 機械学習は人工知能を動かしている技術の1つじゃ
名前の通り「機械」に「学習」をさせて、人工知能を「人間のように考えるコンピューター」に近づけておるわけじゃな

 なるほど。機械学習があるから人工知能が作れるってことですか？

 その通り！　そして**機械学習には「教師あり学習」「教師なし学習」「強化学習」の3種類があるんじゃよ**

「学習」ばっかりで嫌になってきた…

君が学習するわけじゃないから安心しなさい!

そっか、コンピューターが学習するんだった!

機械学習ってなに?

　機械学習は、たくさんのデータをコンピューターに読み込ませて学習させることで、コンピューター自身が情報を判断できるようにする技術の1つです。

　機械学習は、たとえばカスタマーサポートのお問い合わせへの回答を自動化したり、スマホで撮ったレシートの写真から合計金額を抜き出してアプリに登録したりといった場面でも活用されています。

実は第4章で作ったアプリでは音声をテキストに変換する時にも機械学習が使われておったんじゃよ

機械学習の3つの種類

 教師あり学習

　教師あり学習は、正解となるデータをあらかじめコンピューターに学習させる方法です。 すでに正解がわかっているため「教師あり学習」と呼ばれています。

　コンピューターはたくさんの正解データを読み込むことで、正解データの特徴を学習しま

す。そして、まったく新しいデータが与えられた時に、その新しいデータと正解データとに似た特徴があるかどうかを判断します。

教師なし学習

　教師なし学習は、あらかじめ正解データをコンピューターに学習させることなく、新しいデータを与えられるごとに、その特徴をグループ分けしていく方法です。正解を与えずに学習をするため「教師なし学習」と呼ばれます。

　正解を学習する「教師あり学習」とは違って、コンピューターには正解がわからないため、新しいデータが与えられるたびにそのデータの特徴を判断して、似たものどうしを分類することが主な目的となります。身近な例では、迷惑メールと普通のメールとをグループ分けする機能としても使われています。

強化学習

　強化学習は、コンピューター自身が試行錯誤することで、最適な答えにたどり着くことを目的とした学習方法です。コンピューターがさまざまな方法を試して、より良い結果が出た時に、より多くの「報酬」を与えることで、コンピューター自身が報酬を多く与えられる選択をしていく学習方法です。車の自動運転やロボットを制御する機能の開発などに使われています。

今回作る人工知能は「教師あり学習」を利用するぞい

5-03

猫の顔を見つける
アプリを作る

▶ 動画一覧ページ
迷ったら動画で確認！

https://movie.sbcr.jp/dkzp/
c05/s01/

 さて、君は機械学習の『教師あり学習』を覚えているかな？

 はい！　コンピューターがデータの特徴を勝手に学習する方法ですよね！

 間違いじゃ…教師あり学習は正解データを学習させることで正解データに近いデータを見分けるための学習方法じゃ

 あーそうだった

 今回は教師あり学習を使って「猫の顔を見つける」アプリをつくってみるぞい

 人工知能っぽいですね！　楽しみです！

5

人工知能アプリを作る

ライブラリ「Open CV」のインストール

ライブラリ「Open CV」は、画像の処理や解析、機械学習を使った画像認識などができるライブラリです。はじめにこの「Open CV」をインストールしましょう。

1 P.101を参考にコマンドプロンプトを起動（MacOSの場合はP.103を参考にターミナルを起動）

2 「pip install opencv-python」と入力してEnterキーを押下

3 Successfully installed opencv-pythonと表示されていれば正しくインストールできている

4 IDLEに以下を入力しEnterキーを押下
import cv2

5 IDLEに以下を入力しEnterキーを押下
print(cv2.__version__)

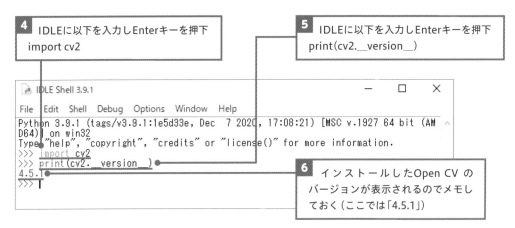

6 インストールしたOpen CV のバージョンが表示されるのでメモしておく（ここでは「4.5.1」）

カスケード分類器を用意する

今回は「カスケード分類器」を使って、猫の顔を見つける人工知能を作ってみましょう。

❀ カスケード分類器ってなに？

カスケード分類器とは、正解データと不正解データを学習させて、正解データを見分けられるように調整した学習済みデータのことを言います。

コンピューターは、この学習済みデータをもとにして、まったく新しい画像の中に猫の顔があるかどうかを判断します。

図 カスケード分類器は正解データを見分けられる学習済みデータ

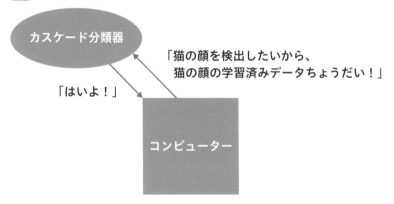

カスケード分類器（学習済みデータ）は自分で作ることもできますが、**今回はライブラリ「Open CV」に付属している「猫の顔を学習した」カスケード分類器を使って、猫の顔を見つけるプログラムを書いてみましょう。**

❀ カスケード分類器をダウンロードする

1 Open CVのリリース一覧ページを開く

URL https://github.com/opencv/opencv/releases

2　P.130でメモしたOpen CVのバージョンをクリック（ここでは「4.5.1」）

　以降はWindowsの場合とMac OSの場合とで操作が異なるので、それぞれの操作方法を見ていきましょう。

パソコンがWindowsの場合

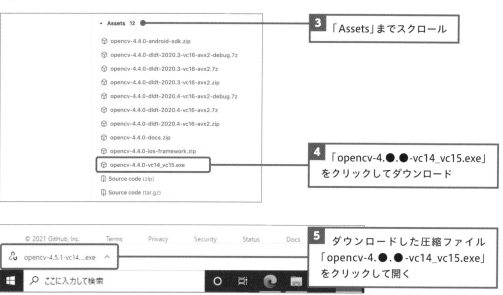

3　「Assets」までスクロール

4　「opencv-4.●.●-vc14_vc15.exe」をクリックしてダウンロード

5　ダウンロードした圧縮ファイル「opencv-4.●.●-vc14_vc15.exe」をクリックして開く

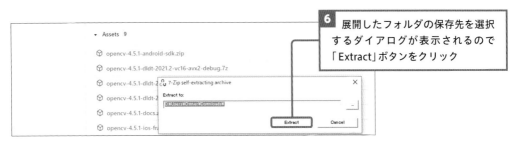

6 展開したフォルダの保存先を選択するダイアログが表示されるので「Extract」ボタンをクリック

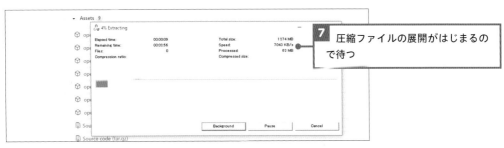

7 圧縮ファイルの展開がはじまるので待つ

8 フォルダ「ダウンロード」が開く

9 フォルダ「opencv」をクリックして開く

10 「opencv」→「sources」→「data」→「haarcascades」フォルダの中にある「haarcascade_frontalcatface」を右クリックしてコピーをクリック

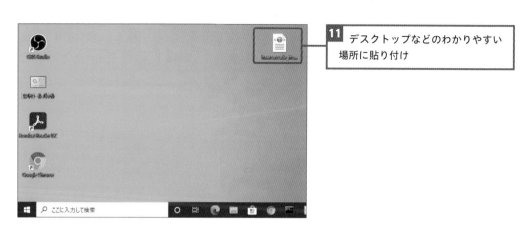

11 デスクトップなどのわかりやすい
場所に貼り付け

🐱 パソコンがMac OSの場合 🖥

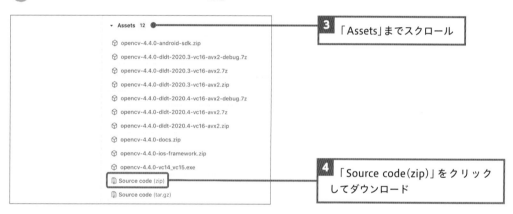

3 「Assets」までスクロール

4 「Source code(zip)」をクリック
してダウンロード

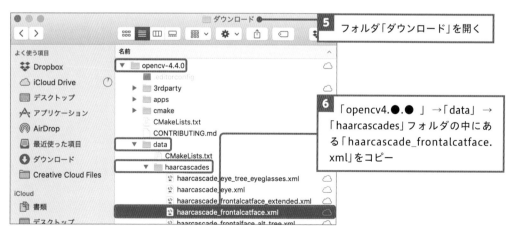

5 フォルダ「ダウンロード」を開く

6 「opencv4.●.●」→「data」→
「haarcascades」フォルダの中にあ
る「haarcascade_frontalcatface.
xml」をコピー

7 デスクトップなどのわかりやすい
場所に貼り付け

テスト画像を用意する

カスケード分類器を使うためのテスト用の猫の画像を用意しておきましょう。

今回はOpen CVに付属しているサンプルの分類器を使っていますが、率直なところ精度の高い分類器とは言えません。

さまざまな画像を試してもらうのが一番ですが、用意するテスト画像はなるべく猫が正面を向いている画像が良いでしょう。横顔だったり、顔をひねっているような画像の場合は正しく判断できない場合があります。また顔が近すぎる画像も正しく判断されない時があります。

今回は特典のサンプルファイルとして、以下の猫の画像を用意しています（ダウンロード方法などはP.13を参照）。

図 サンプルファイルの猫の画像

テスト画像は、わかりやすいようにカスケード分類器と同じ場所に保存してください。また、ファイル名は「cat.jpg」としてください。

Windowsの場合

Mac OSの場合

プログラムを書く

それでは、カスケード分類器を使って猫の顔を見つけるプログラムを書いてみましょう。IDLEで新しいファイルを作成して、以下のプログラムを書いてください。

入力コード　　　　　　　　　　　　　　　　　　📄ファイル名「face.py」

```python
# OpenCVライブラリを使う準備
import cv2
# sysライブラリを使う準備
import sys

# テスト画像の読み込み
img = cv2.imread("cat.jpg")

# テスト画像が変数imgに入っていない時は、エラーを表示してプログラムを終了
if img is None:
    print("テスト画像が正しく読み込めませんでした")
    sys.exit()

# カスケード分類器の読み込み
cascade = cv2.CascadeClassifier("haarcascade_frontalcatface.xml")
```

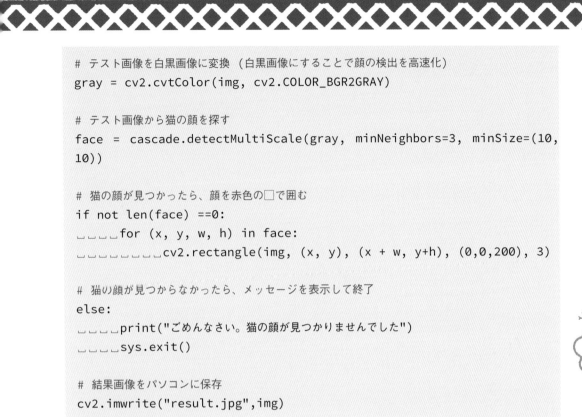

```python
# テスト画像を白黒画像に変換 （白黒画像にすることで顔の検出を高速化）
gray = cv2.cvtColor(img, cv2.COLOR_BGR2GRAY)

# テスト画像から猫の顔を探す
face = cascade.detectMultiScale(gray, minNeighbors=3, minSize=(10,
10))

# 猫の顔が見つかったら、顔を赤色の□で囲む
if not len(face) ==0:
    for (x, y, w, h) in face:
        cv2.rectangle(img, (x, y), (x + w, y+h), (0,0,200), 3)

# 猫の顔が見つからなかったら、メッセージを表示して終了
else:
    print("ごめんなさい。猫の顔が見つかりませんでした")
    sys.exit()

# 結果画像をパソコンに保存
cv2.imwrite("result.jpg",img)

# 結果画像を表示
cv2.imshow("image", img)
cv2.waitKey(0)
```

　次ページにコードを書いた実際の画面を掲載しているので参考にしてください。もちろんサンプルファイルも参考にするといいでしょう。

長いコードで大変じゃがゆっくり焦らず
書くのが間違わないコツじゃ
エラーが出てしまったらサンプルファイルを確認するんじゃ

```
face.py - C:¥Users¥csakamoto¥Desktop¥サンプルファイル¥Chapter5¥face.py (3...    —    □    ×

File  Edit  Format  Run  Options  Window  Help

# OpenCVライブラリを使う準備
import cv2
# sysライブラリを使う準備
import sys

# テスト画像の読み込み
img = cv2.imread("cat.jpg")

# テスト画像が変数imgに入っていない時は、エラーを表示してプログラムを終了
if img is None:
    print("テスト画像が正しく読み込めませんでした")
    sys.exit()

# カスケード分類器の読み込み
cascade = cv2.CascadeClassifier("haarcascade_frontalcatface.xml")

# テスト画像を白黒画像に変換（白黒画像にすることで顔の検出を高速化）
gray = cv2.cvtColor(img, cv2.COLOR_BGR2GRAY)

# テスト画像から猫の顔を探す
face = cascade.detectMultiScale(gray, minNeighbors=3, minSize=(10, 10))

# 猫の顔が見つかったら、顔を赤色の□で囲む
if not len(face) ==0:
    for (x, y, w, h) in face:
        cv2.rectangle(img, (x, y), (x + w, y+h), (0,0,200), 3)

# 猫の顔が見つからなかったら、メッセージを表示して終了
else:
    print("ごめんなさい。猫の顔が見つかりませんでした")
    sys.exit()

# 結果画像をパソコンに保存
cv2.imwrite("result.jpg",img)

# 結果画像を表示
cv2.imshow("image", img)
cv2.waitKey(0)

                                                          Ln: 1  Col: 0
```

　ファイルにプログラムを書いたら、カスケード分類器、テスト画像と同じ場所に保存しましょう。ここでは、デスクトップに「face.py」という名前で保存しています。

プログラムを実行する

ファイルを保存したら、IDLEのメニューの「Run」→「Run Module」をクリックして実行してみましょう。

Windowsの場合

Mac OSの場合

結果画像はIDLEとは別の新しいウィンドウで開きます。この際、猫の顔が赤い四角形で囲まれていれば、猫の顔を正しく見つけられています。その結果を次ページで見てみましょう。

どんな結果に
なるんだろ！？

5

人工知能アプリを作る

Windowsの場合

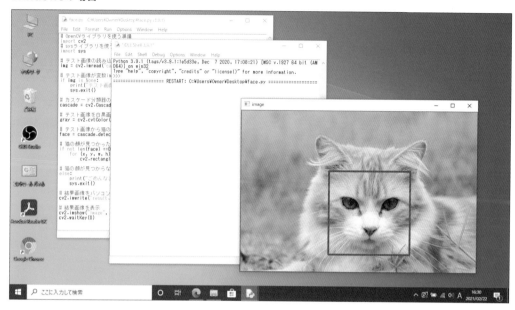

Mac OSの場合

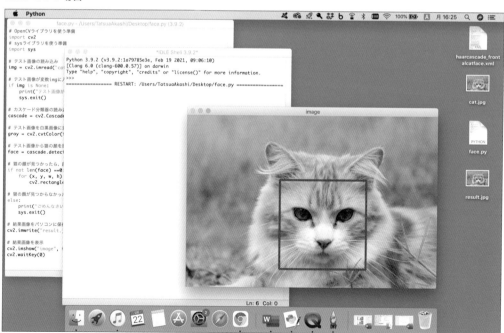

猫の顔を見つけられない時は、以下のようにIDLEにメッセージが表示されます。

Windowsの場合

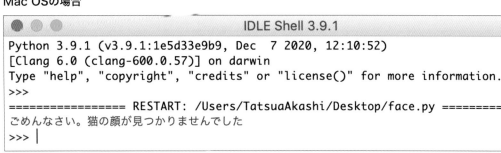

Mac OSの場合

プログラムの中身を理解する

それではこのアプリの動きはどうなっているのか中身を見てみましょう。

 入力コード　　　　　　　　　　　　📄ファイル名「face.py」1 ～ 2行目

```
# OpenCVライブラリを使う準備
import cv2
```

2行目は、P.130『ライブラリ「Open CV」のインストール』でインストールしたライブラリ「Open CV」を読み込んでいます。

 入力コード　　　　　　　　　　　　📄ファイル名「face.py」3 ～ 4行目

```
# sysライブラリを使う準備
import sys
```

4行目は、sys ライブラリを読み込んでいます。

sysライブラリはPythonにはじめから用意されている標準ライブラリで、インストールせずにimportのみで使えます。

今回のプログラム内では、途中でプログラムを終了するために使用します。

 入力コード　　　　　　　　　　　　ファイル名「face.py」6 〜 7行目

```
# テスト画像の読み込み
img = cv2.imread("cat.jpg")
```

7行目は、ライブラリ「Open CV」内のimread()関数を使って、デスクトップに保存しているテスト画像を読み込んで、変数imgに入れています。

 入力コード　　　　　　　　　　　　ファイル名「face.py」9 〜 12行目

```
# テスト画像が変数imgに入っていない時は、エラーを表示してプログラムを終了
if img is None:
□□□□print("テスト画像が正しく読み込めませんでした")
□□□□sys.exit()
```

10 〜 12行目は、もしも変数imgに画像データが入っていなかった時は、「テスト画像が正しく読み込めませんでした」というエラーメッセージを表示して、sysライブラリ内のexit()関数を使ってプログラムを終了させる、という処理を書いています。

変数imgに正しく画像データが入っている時は、11 〜 12行目は実行されません。

 入力コード　　　　　　　　　　　　ファイル名「face.py」14 〜 15行目

```
# カスケード分類器の読み込み
cascade = cv2.CascadeClassifier("haarcascade_frontalcatface.xml")
```

15行目は、ライブラリ「Open CV」内のCascadeClassifier()オブジェクトを使って、デスクトップの猫の顔を見つけるカスケード分類器 (haarcascade_frontalcatface.xml) を読み込んでいます。

 入力コード　　　　　　　　　　　　ファイル名「face.py」17 〜 18行目

```
# テスト画像を白黒画像に変換 (白黒画像にすることで顔の検出を高速化)
gray = cv2.cvtColor(img, cv2.COLOR_BGR2GRAY)
```

18行目は、ライブラリ「Open CV」内のcvtColor()関数を使って、変数imgのテスト画像を白黒画像に変換しています。白黒画像に変換することで、次に説明する21行目の顔を見つける処理を高速化できます。

 入力コード

📄 ファイル名「face.py」20 ～ 21行目

```
# テスト画像から猫の顔を探す
face = cascade.detectMultiScale(gray, minNeighbors=3, minSize=(10, 10))
```

21行目は、ライブラリ「Open CV」内のdetectMultiScale()関数を使用して、カスケード分類器に白黒のテスト画像を読み込み、顔を見つける処理をおこなっています。

minNeighborsという引数は、顔検出の信頼性を調整しています。具体的に説明するとOpen CVでは、画像の大きさを変えて何度も顔を見つける作業がおこなわれているのですが、たとえば3という数字を設定した場合、くり返しの検出作業の中で3回以上「顔である」と判断された範囲が最後に赤い四角形でマークされます。

minSizeという引数は、検出する範囲の最小の大きさを指定しています。たとえば、minSize(10,10)と指定した場合10×10ピクセル以下の範囲の部分は顔として検出されません。

以下の処理を通過し、猫の顔が1つでも見つかった時は、変数faceに、検出された範囲のデータが入ります。

猫の顔が見つからなかった時は、空のtuple（タプル）が返ってきます。tuple は本書では詳しく紹介しませんが、リストのように複数のデータを持つことができるデータ型の1つです。

21行目のコードが猫の画像を判定している処理なんだな
アルファベットの名前はまだよくわからないけど具体的な説明で
やってることがなんとなくわかるぞ！

📄 ファイル名「face.py」23 ～ 26行目

```
#  猫の顔が見つかったら、顔を赤色の□で囲む
if not len(face) ==0:
        for (x, y, w, h) in face:
                cv2.rectangle(img, (x, y), (x + w, y+h), (0,0,200), 3)
```

24行目は、if文を使ってfaceがtuple型ではないことを確認しています。さきほど21行目で説明したように、猫の顔が見つからなかった場合変数faceには空のtupleが入っているので、24行目のif文の条件が一致しない時は、25 ～ 26行目は実行されず、次に説明する29行目のelseの中の処理が実行されることになります。

変数faceがtuple型ではなかった場合、25行目で、faceに入っている座標データを1つずつ取り出して、座標の始点となるx座標とy座標、四角形の幅、四角形の高さをそれぞれx,y,w,hという名前の変数に入れます。

26行目は、ライブラリ「Open CV」内のrectangle()関数を使って、猫の顔が見つかった範囲に赤色の四角形を描画しています。rectangle()関数の引数の意味は次の通りです。

▶ rectangle()関数の書き方

cv2.rectangle(テスト画像, 描画する四角形の始点の座標, 始点の座標の反対側の座標, 枠線の色, 枠線の太さ)

📄 ファイル名「face.py」28 ～ 31行目

```
#  猫の顔が見つからなかったら、メッセージを表示して終了
else:
    print("ごめんなさい。猫の顔が見つかりませんでした")
    sys.exit()
```

29 ～ 31行目は、猫の顔が見つからなかった時に実行されます。

30行目で「ごめんなさい。猫の顔が見つかりませんでした」とメッセージを表示するように31行目でプログラムを終了するように処理しています。

📄 ファイル名「face.py」33 ～ 34行目

```
#  結果画像をパソコンに保存
cv2.imwrite("result.jpg",img)
```

34行目は、Open CVライブラリ内のimwrite()関数を使って、26行目で赤い四角形を描画した結果画像を、パソコン（デスクトップ）に「result.jpg」という名前を付けて保存しています。

結果画像を別の場所に保存したい時にはcv2.imwrite("images/result.jpg",img)のように、フォルダのパス（場所）を指定して保存しましょう。

 入力コード　　　　　　　　　　　　　　　ファイル名「face.py」36 〜 38行目

```python
# 結果画像を表示
cv2.imshow("image", img)
cv2.waitKey(0)
```

37行目は、Open CVライブラリ内のimshow()関数を使って、赤い四角形を描画した結果画像を、新しいウィンドウで開いて表示しています。imshow()関数の引数の意味は次の通りです。

▌imshow()関数の書き方

imshow (開きたいウィンドウ名, 赤い四角形を描画済みの結果画像)

ウィンドウ名は自由に決めることができます。

38行目のwaitKey(0)はキーボード操作を処理する関数ですが、ここではウィンドウを正しく表示するために必ず書く「おまじないのようなもの」という認識でいいでしょう。

 人工知能やアプリはこうやって動いてるのか！
1つ1つに意味があるんですね！

 よくここまで頑張ったのう！ 1回読んだだけでは理解は難しいじゃろうが、なんとなくわかっただけでも大きな一歩じゃ！

## 第6章

チャットボットを作る

あれっ
まだなにかあるん
ですか？

人工知能とアプリ作
成を学んだが
ちと物足りなかった
人へのおまけじゃ！

チャットは短い文章で返信し合う
ツールのことですよね
ボットはなんだったっけ…？

チャットボットというのは
ある程度決まった言葉に反
応を返してくれるロボット
みたいなものじゃ

今回作るチャットボットは
下の画像のものじゃな

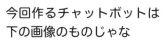

⊙ チャットボットを作る

6-01

チャットボットを作る

▶ 動画一覧ページ

迷ったら動画で確認！

https://movie.sbcr.jp/dkzp/
c06/s01/

Slack（※）を使ってチャットボットをつくってみるぞい

チャットボットってなんですか？

たとえば、君が企業にチャットを使って問い合わせを
することがあるじゃろ？

はい、LINEで問い合わせたりします！

その時に、キャラクターが君の質問にすぐに答えてくれたりせんかの？

あ！答えてくれます！あれがチャットボットなんですね！

そうじゃ。今回は決まった言葉に反応する
チャットボットをつくってみようかの！

（※）Slackとは…グループ内でのチャットを円滑に行えるアプリです。現在ビジネスシーンでよく使用されて
います。

「Slack」のアカウントを作る

まず、メールアドレスを入力して
ください

仕事用のメールアドレスがおすすめです。

名前@work-email.com

続行する

1 ブラウザで「Slackを始める」ページを開く
URL https://slack.com/get-started#/create

---

slack

まず、メールアドレスを入力して
ください

仕事用のメールアドレスがおすすめです。

python-tarouuu@gmail.com ✓

続行する

☑ Slack に関するお知らせをメールで受け取る。

続行することにより、Slack のカスタマー向けサービス利用規約、プライバシーポリシー、および Cookie ポリシーに同意したものとみなされます。

2 メールアドレスを入力

3 「Slackに関するお知らせをメールで受け取る。」のチェックを外す（※お知らせメールが必要な場合はチェックしたままでOK）

4 「続行する」ボタンをクリック

5 **2**で入力したメールアドレス宛に認証コードが届くのを確認

2で入力するメールアドレスはなんでもいいですが、受信が確認できるものにしましょう。

6

チャットボットを作る

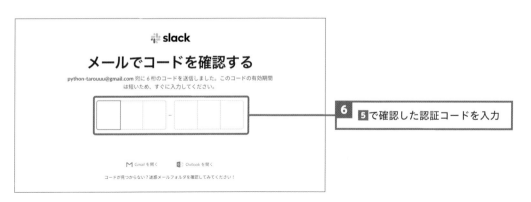

6 **5**で確認した認証コードを入力

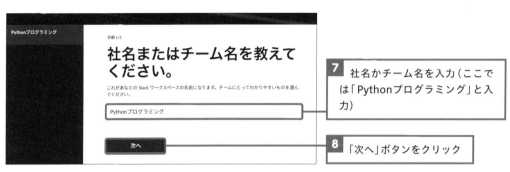

7 社名かチーム名を入力（ここでは「Pythonプログラミング」と入力）

8 「次へ」ボタンをクリック

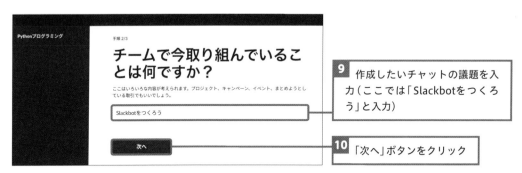

9 作成したいチャットの議題を入力（ここでは「Slackbotをつくろう」と入力）

10 「次へ」ボタンをクリック

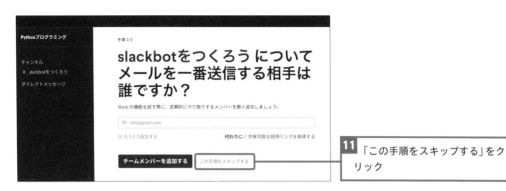

11 「この手順をスキップする」をクリック

12 「ステップをスキップ」ボタンをクリック

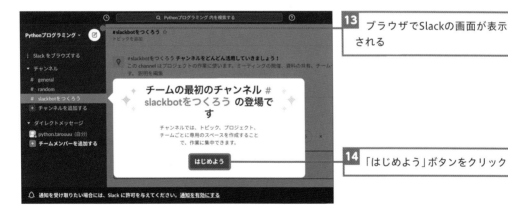

13 ブラウザでSlackの画面が表示される

14 「はじめよう」ボタンをクリック

ブラウザでSlackの画面が表示されない時は、「ブラウザでSlackを使用する」をクリックしましょう。

Pythonプログラミングを立ち上げています

「Slack を開く」をクリックしてデスクトップアプリを起動してください。

うまくいきませんか？ ブラウザで Slack を使用する こともできます。

やっとできたぞ！

チャットボットを作るのは
まだまだこれからじゃ！

ボットをチャンネルに追加する

次に、会話をするボット（チャットボット）をチャンネルに追加してみましょう。

ボットはSlack APIから作ることもできますが、今回は設定が簡単なHubotというSlack用のアプリを利用して作ります。

4 「App」画面が表示される

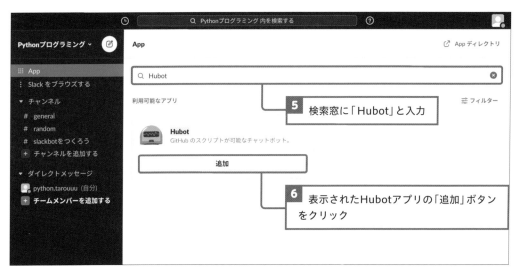

5 検索窓に「Hubot」と入力

6 表示されたHubotアプリの「追加」ボタンをクリック

これが今回使うアプリか！

7 「slack app directory」画面が表示される

8 「Slackに追加」ボタンをクリック

9 ユーザー名を入力（ここでは「chatbot」）

10 「Hubotインテグレーションの追加」ボタンをクリック

6

チャットボットを作る

11 APIトークンが表示されるのでコピーして
メモ帳などに貼り付けておく（P.162で使用）

12 Slack にもどり「App」という項目に先ほど追加したボット（アプリ）
「chatbot」が表示されていることを確認

追加できたぞ！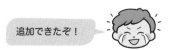

「#slackbotをつくろう」チャンネルにもボットを追加しておこうぞ！

13 「#slackbotをつくろう」をクリック

14 画面右上の「ⓘ」をクリック

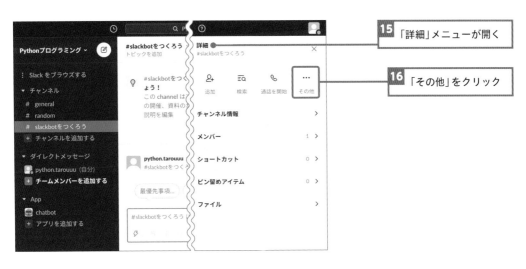

15 「詳細」メニューが開く

16 「その他」をクリック

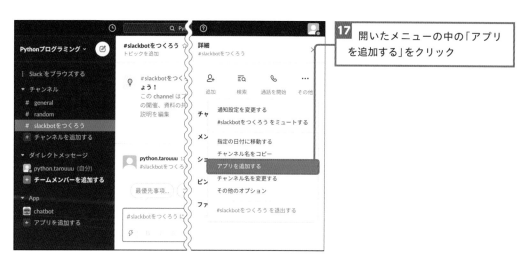

17 開いたメニューの中の「アプリを追加する」をクリック

18 「chatbot」の「追加」ボタンをクリック

19 「chatbot」という名前のボットがメンバーに追加されたことを確認

あともうちょっとじゃ
頑張るのじゃ！

6

チャットボットを作る

「slackbot」ライブラリのインストール

解説動画　windows　mac

ボットと会話をするためのライブラリをインストールするぞい

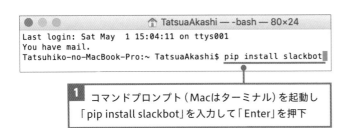

```
                    TatsuaAkashi — -bash — 80×24
Last login: Sat May  1 15:04:11 on ttys001
You have mail.
Tatsuhiko-no-MacBook-Pro:~ TatsuaAkashi$ pip install slackbot
```

1 コマンドプロンプト（Macはターミナル）を起動し
「pip install slackbot」を入力して「Enter」を押下

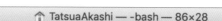

```
● ● ●                  🏠 TatsuaAkashi — -bash — 86×28
You have mail.
Tatsuhiko-no-MacBook-Pro:~ TatsuaAkashi$ pip install slackbot
Collecting slackbot
  Using cached slackbot-1.0.0-py2.py3-none-any.whl (12 kB)
Requirement already satisfied: six>=1.10.0 in /Library/Frameworks/Python.framework/Ver
sions/3.9/lib/python3.9/site-packages (from slackbot) (1.15.0)
Requirement already satisfied: slacker>=0.9.50 in /Library/Frameworks/Python.framework
/Versions/3.9/lib/python3.9/site-packages (from slackbot) (0.14.0)
Requirement already satisfied: websocket-client<=0.44.0,>=0.22.0 in /Library/Framework
s/Python.framework/Versions/3.9/lib/python3.9/site-packages (from slackbot) (0.44.0)
Requirement already satisfied: requests>=2.4.0 in /Library/Frameworks/Python.framework
/Versions/3.9/lib/python3.9/site-packages (from slackbot) (2.25.1)
Requirement already satisfied: urllib3<1.27,>=1.21.1 in /Library/Frameworks/Python.fra
mework/Versions/3.9/lib/python3.9/site-packages (from requests>=2.4.0->slackbot) (1.26
.3)
Requirement already satisfied: chardet<5,>=3.0.2 in /Library/Frameworks/Python.framewo
rk/Versions/3.9/lib/python3.9/site-packages (from requests>=2.4.0->slackbot) (4.0.0)
Requirement already satisfied: certifi>=2017.4.17 in /Library/Frameworks/Python.framew
ork/Versions/3.9/lib/python3.9/site-packages (from requests>=2.4.0->slackbot) (2020.12
.5)
Requirement already satisfied: idna<3,>=2.5 in /Library/Frameworks/Python.framework/Ve
rsions/3.9/lib/python3.9/site-packages (from requests>=2.4.0->slackbot) (2.10)
Installing collected packages: slackbot
Successfully installed slackbot-1.0.0
WARNING: You are using pip version 20.2.3; however, version 21.1 is available.
You should consider upgrading via the '/Library/Frameworks/Python.framework/Versions/3
.9/bin/python3.9 -m pip install --upgrade pip' command.
Tatsuhiko-no-MacBook-Pro:~ TatsuaAkashi$
```

2 インストールが開始されしばらく待ち「Successfully installed slackbot」
と表示されれば、正しくインストールされる

インストールできた！

よくやったのう！
次はコードを書くぞい！

プログラムを書く

 ボットを動かすためのプログラムファイルを作ろうぞ
このプログラムファイルを実行することでボットが動くんじゃ

 まずはIDLEを起動し、新しいファイルを作成するんじゃ。
今回は2つのファイルを作るぞ。まずは1つ目じゃ。保存先
はこれまで通りデスクトップにするんじゃ

 入力コード

📄 ファイル名「run.py」

```
# slackbot ライブラリの呼び出し
from slackbot.bot import Bot

def main():
　　　　# ボットを起動する
　　　　bot = Bot()
　　　　bot.run()

if __name__ == "__main__":
　　　　main()
```

6

チャットボットを作る

```
● ● ●              run.py - /Users/TatsuaAkashi/Desktop/run.py (3.9.4)
# slackbotライブラリの呼び出し
from slackbot.bot import Bot

def main():
    # ボットを起動する
    bot = Bot()
    bot.run()

if __name__ == "__main__":
    main()
```

2つ目に作成するファイルはこれじゃ。
保存先はデスクトップにしておくんじゃぞ

 入力コード

📄 ファイル名「slackbot_settings.py」

```
# APIトークンの設定
API_TOKEN = 'xoxb-2015576962502-2035022680401-VTW0dLDuwtgbjWB45IsQnJP4'

# 定型コメント以外への返信コメント
DEFAULT_REPLY = "すみません。そのコメントはよくわかりません。"
```

「slackbot_settings.py」のAPI_TOKENにはP.156
の🅚でコピーしておいたAPIトークンを書くんじゃ

DEFAULT_REPLYは、ユーザーの「定型コメント」以外へ
の返信コメントを設定しておる。ユーザーの定型コメントの
作成については後で説明するぞい

```
● ● ● ●    slackbot_settings.py - /Users/TatsuaAkashi/Desktop/slackbot_settings.py (3.9.4)
# APIトークンの設定
API_TOKEN = 'xoxb-2015576962502-2035022680401-VTW0dLDuwtgbjWB45IsQnJP4'

# 定型コメント以外への返信コメント
DEFAULT_REPLY = "すみません。そのコメントはよくわかりません。"
|
```

プログラムを実行する

ここまでの手順でプログラムを実行すると
ユーザーのコメントに対して「すみません。そのコメントは
よくわかりません。」とボットが返信するぞ

実際にプログラムを実行して見てみようかの

```
run.py - /Users/TatsuaAkashi/Desktop/run.py (3.9.4)
# slackbotライブラリの呼び出し
from slackbot.bot import Bot

def main():
    # ボットを起動する
    bot = Bot()
    bot.run()

if __name__ == "__main__":
    main()
```

1 IDLEを起動しファイル「run.py」を開く

2 IDLEメニューの「Run」→「Run Module」をクリック

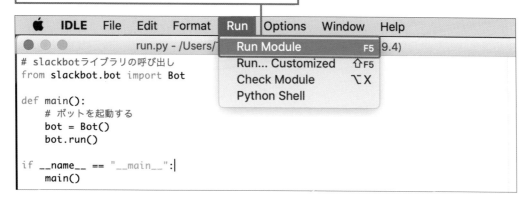

3 IDLEシェルにエラーが表示されなければプログラムが正しく実行できている

```
● ● ●                    *IDLE Shell 3.9.4*
Python 3.9.4 (v3.9.4:1f2e3088f3, Apr  4 2021, 12:32:44)
[Clang 6.0 (clang-600.0.57)] on darwin
Type "help", "copyright", "credits" or "license()" for more information.
>>>
================== RESTART: /Users/TatsuaAkashi/Desktop/run.py ==================
|
```

4 ブラウザのSlackの画面に戻る

5 チャンネル「#slackbotをつくろう」をクリック

6 メッセージ送信欄に「@chatbot こんにちは」と入力し「Enter」を押下

7 ボットから「すみません。そのコメントはよくわかりません。」と返信されることを確認

 メモ

6で入力したメッセージ内容は、冒頭に「@chatbot」（Slackで「メンション」といいます）を付ければ「こんにちは」以外の内容でもなんでも構いません。メンションはSlack独自の機能で、冒頭に「@」と「メッセージを送る相手の名前」を書くと相手にメッセージが届きます。Pythonとは関係ありません。

windows　mac
解説動画

定型コメントに返信するボットを作る

ユーザーの定型コメントに、あらかじめ決まったコメントを返すようボットに設定するプログラムを作ってみるのじゃ

たとえばこちらが「おはよう」とコメントすると「おはよう。今日も良い1日を！」と返信してくれるのじゃ！

すごい！人工知能っぽいぞ！

1 デスクトップにフォルダ「plugins」を作成しておく

```
● ● ● ●      __init__.py - /Users/TatsuaAkashi/Desktop/plugins/__init__.py (3.9.4)
|
```

2 IDLEを起動し新しいファイル「__init__.py」を作成。
保存場所は **1** で作成したフォルダ「plugins」

⚠️ 「__init__.py」には何も書きません。また、このファイルがないとプログラムが正しく動かないので必ず作成しましょう。

3 IDLEを起動し新しいファイル「greeting.py」を作成。
保存場所は **1** で作成したフォルダ「plugins」。
次ページに記載しているコードを入力する

```
● ● ● ●      greeting.py - /Users/TatsuaAkashi/Desktop/plugins/greeting.py (3.9.4)
#slackbot.botライブラリの呼び出し
from slackbot.bot import respond_to
from slackbot.bot import listen_to

# 「おはよう」というユーザーのコメントに「おはよう。今日も良い1日を！」とコメントを返す
# @listen_toにはメンションがなくても反応する
@listen_to('おはよう')
def greeting(message):
    message.reply('おはよう。今日も良い1日を！')
```

2つ目のファイル「greeting.py」
はコードを書くんだな

入力コード

📄 ファイル名「greeting.py」

```
#slackbot.bot ライブラリの呼び出し
from slackbot.bot import respond_to
from slackbot.bot import listen_to

#「おはよう」というユーザーのコメントに「おはよう。今日も良い１日を！」とコメントを返す
# @listen_to にはメンションがなくても反応する
@listen_to('おはよう')
def greeting(message):
　　　　message.reply('おはよう。今日も良い１日を！')
```

4 P.162で作成したファイル「slackbot_settings.py」をIDLEで開く

```
● ● ●   slackbot_settings.py - /Users/TatsuaAkashi/Desktop/slackbot_settings.py (3.9.4)
# APIトークンの設定
API_TOKEN = 'xoxb-2015576962502-2035022680401-VTW0dLDuwtgbjWB45IsQnJP4'

# 定型コメント以外への返信コメント
DEFAULT_REPLY = "すみません。そのコメントはよくわかりません。"

#プラグインを追加する
PLUGINS = ['plugins']
|
```

5 最後の行に以下のコードを追加
PLUGINS = ['plugins']

6

チャットボットを作る

メモ

PLUGINS = ['plugins'] というコードは、「plugins」フォルダ内にあるプログラムファイルをプラグインとして登録しています。プラグインというのは「ユーザー側で追加したプログラム」と考えるとわかりやすいです。

6 ファイル「run.py」のIDLEメニューの「Run」→「Run Module」をクリック

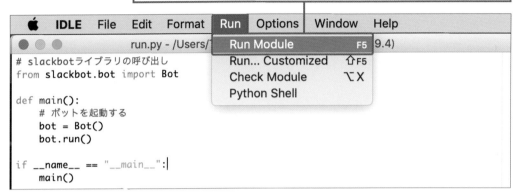

⚠ **6**で操作するファイルは「run.py」で、「greeting.py」ではないので注意しましょう。

7 ブラウザのSlackの画面に戻る

8 チャンネル「#slackbot をつくろう」をクリック

9 メッセージ送信欄に「こんにちは」と入力し「Enter」を押下

10 ボットから「おはよう。今日も良い１日を！」と返信されることを確認

現在時刻を知らせてくれるボットを作る

定型コメントに返信するプログラムを工夫して、
現在の時刻を知らせるボットを作ってみるんじゃ！

「いま何時？」とメッセージを送ると、
ボットが現在の時刻を教えてくれるように作るのじゃ

1 IDLEを起動し新しいファイル「time.py」を作成。
保存場所はP.166の**1**で作成したフォルダ「plugins」。
次ページに記載しているコードを入力する

```
time.py - /Users/TatsuaAkashi/Desktop/plugins/time.py (3.9.4)
```

```python
#slackbot.botライブラリの呼び出し
from slackbot.bot import respond_to
from slackbot.bot import listen_to

#日付や時刻を管理するライブラリの呼び出し
import datetime
import time

# 「いま何時？」というユーザーのコメントに現在時刻と一言コメントを返す
@listen_to('いま何時？')
def res_time(message):
    dt_now = datetime.datetime.now()
    # 現在時刻を返信する
    time_str = dt_now.strftime('%H時%M分だ。')
    message.send(time_str)

    #時間帯別に一言コメントを変える
    if dt_now.hour == 11:
        res = "そろそろお昼の時間だな。"
    elif  dt_now.hour == 15:
        res = "おやつはもう食べたのか？"
    else:
        res = "少し休憩したまえ"

    #時刻のコメント投稿後1秒待つ
    time.sleep(1)
    #一言コメントを投稿する
    message.send(res)
```

6

チャットボットを作る

ファイル名「time.py」

```python
#slackbot.bot ライブラリの呼び出し
from slackbot.bot import respond_to
from slackbot.bot import listen_to

#日付や時刻を管理するライブラリの呼び出し
import datetime
import time

#「いま何時？」というユーザーのコメントに現在時刻と一言コメントを返す
@listen_to('いま何時？')
def res_time(message):
    dt_now = datetime.datetime.now()
    #現在時刻を返信する
    time_str = dt_now.strftime('%H時%M分だ。')
    message.send(time_str)

    #時間帯別に一言コメントを変える
    if dt_now.hour == 11:
    res = "そろそろお昼の時間だな。"
    elif dt_now.hour == 15:
    res = "おやつはもう食べたのか？"
    else:
    res = "少し休憩したまえ"

    #時刻のコメント投稿後1秒待つ
    time.sleep(1)
    #一言コメントを投稿する
    message.send(res)
```

2 ファイル「run.py」のIDLE メニューの「Run」→「Run Module」をクリック

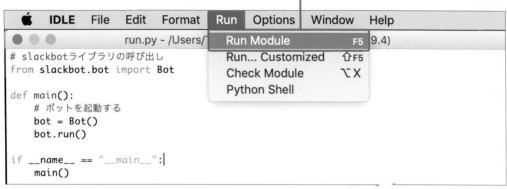

```
 IDLE   File   Edit   Format   Run   Options   Window   Help
                              run.py - /Users/        9.4)
                    Run Module          F5
# slackbotライブラリの呼び出し
from slackbot.bot import Bot    Run... Customized    ⇧F5
                                Check Module         ⌥X
def main():                     Python Shell
    # ボットを起動する
    bot = Bot()
    bot.run()

if __name__ == "__main__":|
    main()
```

 6 で操作するファイルは「run.py」で、「time.py」ではないので注意しましょう。

7 ブラウザのSlackの画面に戻る

8 チャンネル「#slackbot をつくろう」をクリック

9 メッセージ送信欄に「いま何時？」(※) と入力し「Enter」を押下

10 ボットから現在時刻と一言メッセージが返信されることを確認

※「いま何時？」の「？」は全角で入力しましょう。

なんとかやりきったぞ！ 難しかったけどアプリや 人工知能を作れてすごく 達成感があります！

ここまでやりきるとはのう、素晴らしい！ 十分にプログラマーの素質があるぞい！

おわりに

　アプリは作れましたか？少しでもプログラミングやPythonを楽しいと感じていただけたでしょうか？

　プログラミングを始めるキッカケは人それぞれだと思いますが、筆者が感じるのは「プログラミングは楽しい」ということです。

　それは、たぶん私が「ものづくり」が好きだからだと思います。

　ですから、同じように「ものづくり」が好きな人は、プログラミングにハマれると思います。他にも「何かを企画して人に喜んでもらうことが好き！」「人を助けるのが好き！」といった方も、見開きの「プログラミングとは」で触れたように、プログラミングができれば、アプリを企画して、その人の役に立つアプリをつくって喜んでもらえることもできますよね。

　プログラミングは義務教育で必修科目となり、今後は英会話のスキルと並んで、誰もが持っているスキルになっていきます。そのような時代では、スキルの有無よりも「そのスキルで何をするか」が重要になります。これからプログラミングを学ぶのであれば、ぜひその「何をするか」を明確にしてみてください。目的があるからこそ、人はより高い場所を目指して努力することができます。人よりも高いところに到達できれば、そこまでに培ってきたスキルが、あなたにしかない武器になります。

　本書でプログラミングやPythonに興味をお持ちいただけたなら、ぜひさらなる高みを目指して学習を続けてくださいね。

　最後になりましたが、本書執筆の機会を与えてくださったSBクリエイティブの坂本千尋氏、また本書の装丁やデザインを手掛けてくださった中村妙氏、クニメディア株式会社さまに心より感謝申し上げます。

索引

＜命令文の書き方＞

append	59
for	79
if	69
if else	74
if elif else	76
import	94
insert	60
print	29
replace	51
str	53
sum	58
try except	118
開始位置から終了位置までの文字列を取り出す	48
開始位置から末尾までの文字列を取り出す	50
関数を作る	87
関数を呼び出す	88
関数に引数を使ってデータを渡す	89
先頭から終了位置までの文字列を取り出す	49
文字列の連結	46
文字を1文字取り出す	47
ライブラリを読み込む	94
ライブラリ内の関数を使う	95
リストから要素を取り出す	57
リストを作る	57

＜その他基本知識＞

記号

==	71
!=	71
<	71
>	71
<=	71
>=	71

A

API	121

B

bool型	43

F

float型	43

I

IDLE	
IDLEとは	26
インストール	26
int型	43

L

list型	43

P

py	32
Python	
Pythonとは	16
インストール	18

S

str型 ……………………………………… 43

あ行

インスタンス ……………………………… 110
インストール ……………………………… 20
インデント ………………………………… 69, 70

か行

外部ライブラリ …………………………… 101
拡張子 ……………………………………… 35
カスケード分類器 ………………………… 131
関数 ………………………………………… 86
機械学習 ………………………… 126, 127
強化学習 ………………………… 126, 128
教師あり学習 …………………… 126, 127
教師なし学習 …………………… 126, 128
クラス ……………………………………… 110
コマンドプロンプト ……………………… 101

さ行

条件式 ……………………………… 68, 71
人工知能 …………………………………… 124

た行

ターミナル ………………………………… 103
チャットボット …………………………… 148
データ ……………………………………… 40
データ型 …………………………………… 43

は行

バックスラッシュ ………………………… 114
反復処理 …………………………… 67, 78
比較演算子 ………………………………… 71
分岐処理 …………………………… 67, 68
変数 ………………………………………… 40

や行

予約語 ……………………………………… 43

ら行

ライブラリ ………………………………… 93
リスト ……………………………………… 56

著者紹介

赤司 達彦（あかし たつひこ）

TechAcademy（プログラミングやアプリ開発を学べるオンラインスクール）元講師。解説がわかりやすいとの評判を得る。15年以上前からHTMLやCSSを利用したホームページやブログの作成を開始してプログラマへ。iPhoneアプリエンジニアとして業務に携わる経験を持つ。
著書に『本当によくわかるWordPressの教科書』『本当によくわかるWordPressの教科書 改訂2版』がある。

本書のご意見、ご感想はこちらからお寄せください。
https://isbn2.sbcr.jp/07951/

● 装丁　　　　　　　　　文京図案室（中村 妙）
● 制作・本文デザイン　　クニメディア株式会社
● キャラクターイラスト　ナカニシ ヒカル
● 編集　　　　　　　　　坂本 千尋

動画×会話でゼロからはじめるPython入門

2021年 6月25日　初版第1刷発行

著　者　　赤司 達彦
発行者　　小川 淳
発行所　　SBクリエイティブ株式会社
　　　　　〒106-0032 東京都港区六本木 2-4-5
　　　　　https://www.sbcr.jp/
印刷・製本　株式会社シナノ